Heinrich Kru

Brutus

Antigonos

Heinrich Kruse

Brutus

Unveränderter Nachdruck der Originalausgabe von 1874.

1. Auflage 2024 | ISBN: 978-3-38640-294-1

Antigonos Verlag ist ein Imprint der Outlook Verlagsgesellschaft mbH.

Verlag: Outlook Verlag GmbH, Zeilweg 44, 60439 Frankfurt, Deutschland
Vertretungsberechtigt: E. Roepke, Zeilweg 44, 60439 Frankfurt, Deutschland
Druck: Libri Plureos GmbH, Friedensallee 273, 22763 Hamburg, Deutschland

Brutus.

Trauerspiel

von

Heinrich Kruse.

Leipzig
Verlag von S. Hirzel.
1874.

Der Verfasser behält sich alle Rechte vor.

Brutus.

Vorwort.

Wer in diesem Stücke Reminiscenzen zu finden meint, muß die Quellen nicht kennen, aus welchen der brittische Dichter und der deutsche mit gleichem Rechte schöpfen. Uebrigens geht es mir nicht wie Marcus Antonius, der in Caejars Gegenwart seinen Geist ein=geschüchtert und gedrückt fühlte. Shakespeare und dessen unerreichbare Vorzüge willig anerkennend, verfolge ich unbekümmert meine eigenen Ziele.

Perſonen.

—⟨⟩—

Julius Caeſar, römiſcher Dictator.

Calpurnia, ſeine Gemahlin.

Marcus Antonius, Conſul.

Marcus Brutus.

Porcia, ſeine Gemahlin.

Cajus Caſſius

Trebonius

Ligarius

Casca ⎫ Verſchworene.

Decimus Brutus

Tillius Cimber

Cinna

Lepidus.

Octavianus, Caeſars Neffe.

Artemidor, ein Grieche.

Titus ⎫ Diener des Brutus.
Straton ⎭

Senatoren, Hauptleute, Lictoren u. ſ. w.

~~~~~~~~~

Erster Aufzug.

Erster Auftritt.

Im Hause des Marcus Brutus.

Marcus Brutus. Im Hintergrunde wartet sein junger Diener **Titus.**

Brutus (Zettel in der Hand haltend).

Wer schreibt mir das? (Kopfschüttelnd) Kein Name! (Liest)

     „Brutus, schläfst Du?"

Und „Brutus", heißt es hier, „Du bist nicht Brutus!"

Wer hat mir diese Zettel hergebracht?

Titus.

Ich weiß nicht, Herr.

Brutus.

     Das mußt Du aber wissen.

Wen hast Du eingelassen?

Titus.

     Niemand, Herr.

Brutus.

So hat Mercur, der Götterbote, selbst

Am Ende diese Botschaft überbracht!

Wo fandest Du die Streifen?

Titus.

     Nah am Fenster;

Als ich es gestern Abend öffnete,

Um Kühlung einzulassen, weiß ich sicher,
Fand sich noch nichts von diesen Blättern vor.

Brutus.

Durch's Fenster eingeworfen also? Geh!

Titus.

Herr, bist Du mit mir unzufrieden?

Brutus.

Nein.

Weshalb? Du bist noch neu in meinem Dienst
Und zeigst Dich sehr pflichteifrig; das ist löblich;
Doch lasse Deinen Eifer nicht erkalten;
Die besten Menschen sind sich immer gleich. (Titus ab.)

Brutus (allein).

„Du schläfst wohl, Brutus?" Und: „Du bist nicht
Brutus!"
So fand ich auch an meinem Prätorstuhl
Die Worte angeschlagen: „Stammst Du nicht
Von jenem Brutus, der die Könige
Aus Rom vertrieben hat?" Es geht auf Caesar.
Die Stimmen, die von außen kommen, würden
Mich wenig kümmern, wenn sich nicht verwandte
Auch hier (die Hand auf die Brust legend) vernehmen ließen.

Zweiter Auftritt.

Brutus. Cassius (kommt).

Brutus.

Cassius!

Mein Bruder!

Caſſius.

Mit dem ·Worte löſchteſt Du
Mit Einmal Alles aus, was uns getrennt.

Brutus.

Was hat uns nur getrennt, mein Caſſius?
Du miedeſt meine Schwelle lange ſchon,
Du danfteſt mürriſch meinem Grüße kaum;
Doch hab' ich Dich gekränkt, ſo weiß ich's nicht.
Wie hingſt Du ſonſt an mir troß Deines Trübſinns!
Du freiteſt meine Schweſter Junia,
Ich glaube, weil ſie meine Schweſter iſt.

Caſſius.

Wir haben auch wie Brüder ſonſt gelebt,
Doch wurden uns entfremdet.

Brutus.

Nein, ich nicht!
Du haſt Dich zwar von mir zurückgezogen,
Doch blieb Dein Plaß in meinem Herzen frei.
Du konnteſt jeden Augenblick ihn wieder
Einnehmen, und (ihn umarmend) Du haſt es ſchon gethan.

Caſſius.

Sieh, Caeſar, der ſo manches Uebels Quell,
Gelang es auch uns Beide zu entzwei'n.
Er machte Dich zum Prätor für die Stadt —

Brutus.

Du hatteſt um die Stelle Dich beworben —

Caſſius.

Ich ſchlug die Parther, ich erwarb mir manche
Verdienſte ſonſt. Indeß ich mag nicht prahlen.
Ich bin der ält're Mann; doch Caeſar machte
Zum Prätor Dich!

Brutus.

Ich bat ihn nicht darum!
Dir bot er eine andre Stelle an.

Cassius.

Ja, fern von Rom! Ich weiß, er traut mir nicht.

Brutus.

Du schlugst die Stelle aus und blicktest finster
Nicht bloß auf Caesar, sondern auch auf mich.

Cassius.

Dir galt mein Zorn so sehr nicht, wie dem Mann,
Der Alles jetzt nach seiner Willkür ordnet
In einem Staate, dessen Ruhm das Recht
Und eh'rne Strenge der Gesetze war.
Kann man in Rom noch leben?

Brutus.

Ei, mein Freund,
Man speist ja hier Thunfische aus Chalcedon
Und Pfau'n aus Samos, cappadocische
Rebhühner, fette Austern aus Tarent
Und köstliche Muränen, aus dem Meer
Von Gades aufgefischt. Du solltest fragen:
„Kann man noch besser leben, als in Rom?"

Cassius.

Ich rede nicht von Speise oder Trank,
Ich rede nur von dem, was edleren
Gemüthern grad so unentbehrlich ist,
So nöthig, wie die Luft, in der sie athmen.
Ich bin ein Römer und ich finde nichts
In dieser Welt der Mühe werth zu leben,
Wenn ich nicht frei sein kann. — Du schweigst und
                                                sprachst
So eben wie die große Menge: wenn sie

Rothbarben nur in ihren Teichen haben,
Die auf den Wink herbeigeschwommen kommen,
Um aus der Hand zu fressen, glauben sie
Den Himmel mit dem Finger zu berühren.

(Brutus zuckt die Achseln.)

Die Meisten kümmern sich nicht um den Staat
Und lassen Alles über sich ergeh'n,
Wenn sie nur ruhig leben können, ja,
Wenn sie nur leben können.

Brutus.

Wahr genug;
Es sollte Manches anders sein in Rom;
Doch hilft das Reden?

Cassius.

Ja, ich weiß es wohl,
Daß man in Rom von öffentlichen Dingen
Kaum noch zu reden wagen darf; doch Dir
Erschlöß ich gern mein übervolles Herz.

Brutus.

Angeben werd' ich Dich wohl nicht. So rede.

Cassius.

Du hast Dich in die Studien vertieft
Und bist ein Philosoph geworden.

Brutus.

Ja;
Doch nicht, um weise Lehren vorzutragen,
Nein, um sie zu befolgen und zu leben
So wie es einem weisen Manne ziemt.

Cassius.

Du lebest so, daß Du trotz Deiner Jugend
Jedwedem Ehrfurcht einzuflößen scheinst,
Und nicht bloß Liebe Deiner schönen Seele —

Brutus.

Wenn Jemand schmeichelt, hat er eine Absicht.

Cassius.

Ich wollte bloß Dich bitten, einen Blick
Auf dies gemeine Leben noch zu werfen.
Was ward, was ward aus unsrer Republik?
Die Republik! Es ist ein heil'ges Wort.
Ich schaudere vor Ehrfurcht, wenn ich es
Ausspreche; ach, und jetzt so tief entweiht!
Wir haben keine Republik mehr.

Brutus.

Maaß!
Die Republik ließ Caesar noch besteh'n.

Cassius.

Nun ja, Prätoren sprechen noch das Recht,
Aedilen lassen wilde Thiere kommen
Zum Spiele für den Circus.

Brutus.

Mehr, als das!
Das Volk versammelt sich noch auf dem Markt,
Wählt seine Obrigkeiten, beide Consuln —

Cassius.

Der eine Consul heißet Julius,
Der andre Caesar! Spiele nicht mit Worten.
In unsrer Halle steh'n in langen Reih'n,
Die Ahnenbilder da, von Rauch geschwärzt.
Wir geh'n an Consuln und Censoren und
Triumphatoren stumm beschämt vorbei.
Die stolze Republik, für die sie lebten,
Für die sie freudig starben, ist nicht mehr.
Mit Beilen und mit Ruthenbündeln zieh'n,
Lictoren noch den heil'gen Weg dahin,

Und Consuln folgen gravitätisch nach;
Doch alles Das ist nichts als leerer Schein,
In Wahrheit herrscht nur Einer noch in Rom,
Wir Alle sind nur Diener seiner Macht,

(Auf die mit Purpur verbrämte Toga der Senatoren zeigend)

Dies bunte Kleid ist seine Dienertracht!

Brutus.

Was willst Du mir mit vielen Worten sagen?

Cassius.

Daß Caesar ein Tyrann ist.

Brutus.

Ein Tyrann?
Worin erschiene Caesar als Tyrann?
Umgiebt er seinen Leib mit einer Wache,
Die Jeden, welchem er den Gegengruß
Verweigert, auf der Stelle niederstößt?
Er geht mit hoher Sicherheit umher
Auf off'ner Straße, grüßt zuerst und spricht
Mit seinem Lächeln Jeden freundlich an.

Cassius.

Am gold'nen Halsband freut sich noch der Hund!

Brutus.

Du sprichst von Caesar nicht mit Billigkeit.

Cassius.

Wie? Handelte er dennoch nicht wie alle
Tyrannen? Schmeichelte er nicht dem Volk?
Er wandelte den Weg der Gracchen, machte
Den Pöbel zu dem Hebel seiner Größe,
Er rüttelte den Staat uns um und um,
Bis daß der Bodensatz sich oben fand:
Der Schaum ist mit der Hefe nah verwandt!

Brutus.

Ich will die Mittel nicht vertheidigen,
Durch welche Caesar zu der Macht gelangte;
Doch hat er klug und milde sie gebraucht.
Er hat den Staat, der tief zerrüttet war,
Von Grund aus neu geordnet.

Cassius.

Brutus, Brutus,
Du bist ein Freund des Caesar!

Brutus.

Läugn' ich das?

Cassius.

Drum sei vor Deinem Herzen auf der Hut.
Erinnerst Du Dich noch des Augenblickes,
Wo Caesar unsere Legionen gegen
Uns selbst zu führen sich erbreistete?
Pompejus floh. Er hatte Deinen Vater
Hinrichten lassen. Jeder glaubte fest,
Du würdest in dem Strom der Menge sein,
Die jetzt in Caesars Lager flutete.
Du aber wogst das Recht der Männer ab
Und gingst in die Verbannung zu Pompejus.
Sei jetzt Du selbst und denke nicht so sehr
An das, was Caesar Dir erwiesen hat —

Brutus.

Wohlthaten ohne Zahl, doch mehr als das:
Er liebt mich.

Cassius.

Und auch Deine Mutter schon!
Man sagt, er habe Deine Mutter —

Brutus.

Wie?

Caſſius.

Servilia —

Brutus.

Ich will nichts weiter hören;
Du weißt, es iſt ein müßiges Geſchwätz.

Caſſius.

Das Volk, das Alles ſich auf ſeine Weiſe
Erklären muß, legt ſo es ſich zurecht.
Er liebt Dich offenbar wie einen Sohn,
Und wenn Du warten willſt, bis daß er ſtirbt,
So kannſt Du Caeſar werden.

Brutus.

Das ſei fern!
Ich haſſe nicht, wie Du, den Herrſcher ſelbſt;
Allein die Herrſchaft iſt auch mir verhaßt.
Die beſte Herrſchaft hat den Fluch, daß ſie
Den Geiſt der Knechtſchaft um ſich her erzeugt.

Caſſius.

Da hör' ich meinen alten Brutus wieder!
Drum ſei bedacht, daß Dich Dein eigner Vortheil
Für Caeſar nicht beſticht.

(Brutus geht unruhig auf und ab.)

Caſſius (bei Seite).

Es wirkt! Es wirkt!
Von dieſer Seite faßt man ihn am beſten.

(Laut.)

Ja, frage Dich, will Caeſar Deine Tugend
Belohnen, oder Deine Kraft entmannen?

Brutus (ſtille ſtehend, mit Betonung).

Was willſt Du, Caſſius?

Caſſius.

Ich will nicht dulden,
Daß Julius Caeſar König wird in Rom.

Brutus.

Er König und wir Unterthanen? Nein.
Doch kann man glauben —

Cassius.

Woran zweifelst Du?

Brutus.

Daß Caesar, nicht zufrieden mit der Macht,
Nach einem leeren Titel haschen soll?

Cassius.

Ist er zu groß für solche Kleinigkeiten?
Sein Lorbeerkranz hat nicht so viele Blätter,
Als immer neue Titel, Würden, Ehren
Der knechtische Senat auf ihn gehäuft.

Brutus.

Das Alles hat der römische Senat
Nach altem Recht und Brauch ihm zuerkannt.
Allein die Königswürde ist ein halbes
Jahrtausend nun in dieser Stadt verflucht.

Cassius.

Ist's etwa auch nach altem Recht und Brauch,
Daß, als die Götter Roms durch unsre Stadt
Auf hohen Sesseln jüngst getragen wurden,
Sein, Caesars, Bild darunter auch erschien?
Ist's Recht und Brauch, daß seine Statue
Im Tempel aufgestellt ward und geweiht
Mit dieser Schrift: „Dem unbesiegten Gott"?

Brutus.

Ausbünd'ge Thorheit das, ich räum' es ein;
Doch eine Thorheit nur. Sie schadet Niemand,
Als dem, der seine Eitelkeit verräth.
Doch das Verbrechen, sich zum Könige — —

(Er schüttelt den Kopf.)

Cassius.

Er ward als König neulich schon begrüßt.

Brutus.

Er aber wandte sich zum Volk und sprach:
„Nein, König heiß ich nicht, ich heiße Caesar!"

Cassius.

Es waren noch zu Wenige, die schrie'n.

Brutus.

So bitter? Doch wenn ein Gefäß nicht rein ist,
Wird, was man eingießt, Alles sauer.

Cassius.

                                So?
Und wovon wär' ich, Brutus, denn nicht rein?

Brutus.

Vom Hasse gegen Caesar.

Cassius.

                        Könnt' ich doch
Darauf entgegnen, daß die Liebe Dich
Ein wenig blind für Deinen Caesar mache.
Du müßtest sonst ja seh'n, was Alle merken,
Daß Caesar nach der Königswürde strebt.
Nun will er ziehen gegen Parthien,
Und seine Freunde streu'n im Volke aus,
Es stehe in den Büchern der Sibylle,
Die Parther könnten nur durch einen König
Bezwungen werden —

Brutus.

                    Welch ein Beckenklang?
Was lärmt da draußen für ein toller Zug?

Cassius.

Der Führer tritt in's Haus.

Brutus.

                        Wer ist es? Sieh!

2

Dritter Auftritt.

Die Vorigen. Marcus Antonius tritt ein mit einem Löwenfell auf
dem Kopfe.

Cassius.

Die mächtige Gestalt im Löwenfell
Ist Niemand anders, als —

Antonius (das Löwenfell zurückschlagend).

Antonius!

Ich stamme, wißt Ihr, ab vom Hercules.

Brutus.

Du fuhrst ja auch mit Löwen schon herum.

Cassius.

Was könnte freilich einem Consul Roms
Auch besser steh'n, als solche Fastnachtpossen?

Antonius.

Wir feiern heute Lupercalien —
Wer immer weise sein will, ist ein Thor.

(Singt.)

Io, Bacchus, Thyrsusschwinger!
Io, Bacchus, Freudenbringer!
Alle Sorgen löst der Wein!
Trink' ich, hab' ich Heerden, Felder,
Goldbergwerke, weite Wälder
Und bin König: schenkt mir ein!

(Das Lied wird draußen mit lustiger, rauschender Musik weiter gesungen.)

Ihr steht da wie (sich vor Brutus verneigend) die Tugend
und (vor Cassius) der Hunger:
Ein nah verwandtes Paar.

Cassius.

Wie denn verwandt?

Antonius.

Die Tugend preis't man, aber läßt sie hungern.

Cassius.

Was blickst Du mich so an, Antonius?

Antonius.

Darf man Dein hochrepublikanisches
Selbst nicht mehr anseh'n, Cajus Cassius?
Mein lieber Freund, thu' Deine Maske ab!

Cassius.

Wie sollt' ich denn zu einer Maske kommen?

Antonius.

Wie solltest Du denn keine Larve tragen,
Da Deine Züge unbeweglich starren,
Gleich einer Maske der Tragödie!

(Thut, als wollte er Cassius eine Maske abnehmen.)

Cassius.

Verschone mich.

Antonius.

Nun gut, behalt' sie vor,

(Bei Seite, listig.)

Denn was dahinter steckt, das weiß ich doch!

Brutus.

Man weiß es, daß der zweite Feldherr Roms
Der erste seiner Lustigmacher ist.

Antonius.

Ich störe doch die Herrn nicht? Habt wohl eben
Ein philosophisches Gespräch geführt,
Daß nur der Tugendhafte glücklich sei,
Selbst auf der Folterbank?

(Er taumelt etwas und lacht selbst darüber.)

Brutus.

Antonius,

Es ist noch früh.

2*

Antonius.

Und nicht mehr nüchtern, meinst Du?
Du thust mir Unrecht, Freund, entschieden Unrecht!
Das Räuschchen stammt ja noch von gestern her.
Wir hatten gestern einen Priesterschmaus;
Da wurde der Falerner nicht geschont
Und bis zum Morgen lustig durchgezecht.
Auch Hercules verschmähte keinen Trunk.

Brutus.

Wenn's Trinken gilt und Schmausen, wenn' es gilt
Bei schönen Weibern seine Kraft zu zeigen,
Gleichst Du Alcmenens nie erschöpftem Sohn.

Antonius.

In diesem schwächlichen Geschlecht, wo kaum
Der edle Knabe auf dem Pferd noch hängt,
Ist's eine Freude, (seine Arme aufzeigend) Muskeln noch zu seh'n.
Worauf beruht Roms Herrschaft, als auf Kraft?

Brutus.

Kraft ohne Zügel — Doch was willst Du uns?

Antonius.

Ich komm' im Auftrag Caesars Dich zu bitten,
Du möchtest heut beim Fest erscheinen.

Brutus.

Fest?
Bei welchem Fest? Ach, ich vergaß es fast,
Daß heut das alte Hirtenfest man feiert.
An solche Dinge kehr' ich mich nicht viel.

Antonius.

Ein altberühmtes Fest. Ich bin Lupercus.

Brutus.

Und Caesar wohnt den Lupercalien bei?

Antonius.

Ja, nicht bloß Caesar, auch Calpurnia;
Doch fehlt ihm immer etwas ohne Dich;
Du bist sein Kebsweib, so zu sagen.

Brutus.

           Pfui!

Antonius.

Nun, seine Braut, wenn Du das lieber hörst.
Willst Du zum Feste kommen, Marcus Brutus?

Brutus.

Ich werde kommen, weil es Caesar wünscht.

Antonius.

Schenkst Du uns auch die Ehre, Cassius?

Cassius.

Ich werde kommen, weil es mir behagt.
Es ist ein alter Brauch.

Antonius.

           Und Du bist ja
Ein Mann noch aus der guten alten Zeit
Mit allen jenen rauhen Tugenden —

Cassius.

Die freilich leichter zu verspotten sind,
Als nachzuahmen. Aber Du, Antonius,
Du schwimmest lustig mit dem vollen Strom
Der Laster dieser ganz verderbten Zeit.

Antonius.

Dir gilt die Höflichkeit wohl auch als Laster?
Nun ja, ich lebe mit der heut'gen Welt.
Was kümmern mich die alten bärt'gen Bauern?
Und sollen denn, weil Cato keine Schuhe
Anzog, wir Alle barfuß laufen? Geh!

Brutus.

Wird's sonst noch etwas geben bei dem Fest?

Antonius.

Kann sein, daß Ihr Gelegenheit erhaltet,
Zu zeigen, ob Ihr's gut mit Caesar meint.
Ich geh' und meld' ihm, daß Ihr zugesagt.

Brutus.

Wie ist das Wetter draußen?

Antonius.

              Hell und heiter;
Doch wenn Du (zu Cassius) kommst, verändert's sich.

Cassius.

                       Wie das?

Antonius.

Du siehst aus, wie acht Tage Regenwetter!

(Im Abgehen singt er.)

Jo, Bacchus, Thyrsusschwinger u. s. w.

(Er entfernt sich draußen mit seinem Festzuge unter Absingung desselben
Liedes.)

Vierter Auftritt.

Brutus. Cassius.

Cassius.

Er liebt mich nicht.

Brutus.

            Mir will er auch nicht wohl;
Denn er beneidet mir die Gunst des Caesar,
Um den er mehr Verdienste hat, als ich.
Wir Alle, welche Caesar nur begnadigt,
Wir scheinen ihm unbillig vorgezogen
Und müssen dankbar sein, daß wir noch leben.

Caſſius.

Er iſt ein unverſchämter Poſſenreißer.

Brutus.

Der ſtets doch ſeinen Zweck vor Augen hat!
Was ſagt' er? Daß wir heute zeigen müßten,
Wie wir's mit Caeſar meinten!

Caſſius.

Ja, ſo war's.
Vielleicht, daß ſie beim Volk das Königthum
Anregen wollen.

Brutus.

Das iſt Deine Fährte,
Von welcher Du nicht abzubringen biſt.

Caſſius.

Der Pöbel, der nicht nachdenkt, jubelt leicht
Dem Neuen zu. Die Freunde Caeſars wollen
Das Volk gewinnen für das Königthum,
Eh' ſie den Vorſchlag wagen im Senat.
Und willſt Du, Brutus, dulden —

Brutus.

Laß uns geh'n.

Caſſius.

Ich frage, willſt Du dulden —

Brutus.

Caſſius,
Ich weiß, wohin Du zielſt. Nun laß uns geh'n.

Caſſius.

Aus Deinem Gleichmuth biſt Du nicht zu bringen!
O der entſetzlichen Gelaſſenheit!

Brutus.

Ich bin einmal nur langſam von Entſchluß.
Es iſt das Vorrecht höherer Naturen,

Daß sie in jedem Augenblick sofort
Wie gottbegeistert wissen, was zu thun.
Entschluß und That sind stets bei ihnen Eins,
Wie Jupiter aus seiner Götterhand
Den Donner schleudert und den Blitz zugleich.

Cassius.

Du denkst an Caesar?

Brutus.

Ja.

Cassius.

O Brutus! Brutus!
Wer so bewundert, liebt auch heimlich noch.
So hab' ich denn noch nichts bei Dir erreicht?

Brutus.

Du hast ein Samenkorn in mich gelegt;
Nun laß die Zeit es reifen, Cassius.
Wenn man mich treiben will, so steh' ich still,
Und wie ein Eselein bin ich knittelfest.
Ich muß mir Alles reiflich überlegen.

Cassius.

Um desto nachdrucksvoller handelst Du.
Wie wenn ein Landsee ausgegraben wird —
Es kostet viele Arbeit, doch es stürzen
Die Fluthen unaufhaltsam dann hinein —
So kennst Du, handelnd, keinen Widerstand.

Brutus.

Komm, geh'n wir nach dem Markt zum Hirtenfest.
Der lust'ge Fasching wird auch Dich zerstreu'n,
Und was Du fürchtest, wird sich nicht begeben.

Cassius.

Wenn aber doch? Dann willst Du Caesar —
(Er macht die Bewegung des Niederstechens.) Ja?

Brutus.

Du haſt mich halb, nicht völlig überzeugt,
Und drängteſt Du ſchon jetzt auf eine Antwort,
So müßt' ich ſagen: Nein! — Du richteſt nichts
Durch noch ſo zornige Geberden aus.
Das iſt kein rechter Mann, der nicht verſteht
Den beſten Freunden etwas abzuſchlagen,
Und muß es ſein, ein rundes Nein zu ſagen.

Fünfter Auftritt.

Das römiſche Forum.
Links die mit Schiffsſchnäbeln verzierte Rednerbühne.
Rechts der Tempel der Venus Victrix.

Antonius (kommt mit Leuten, die einen goldenen Thronſeſſel tragen).

Erſter Träger.

Wo tragen wir den gold'nen Seſſel hin?

Antonius.

Dicht an die Rednerbühne. Stellt ihn ſo,
Daß ich an Caeſar reiche von der Bühne.
Und daß Ihr Eure Kehlen ja nicht ſchont,
Sobald ich Caeſar bitte —

Erſter Träger.

Ja, wir wiſſen!
Wenn wir nicht heiſer ſind, bezahl' uns nicht.

(Der Seſſel wird auf eine Erhöhung vor der Rednerbühne geſtellt.)

Antonius.

Da kommen Caeſar und Calpurnia.

(Auf ein von Antonius gegebenes Zeichen beginnt die im Hintergrunde
jenſeits der Roſtra aufgeſtellte Muſik zu ſpielen. Während ein feierlicher
Marſch geblaſen wird, kommen von links Lictoren mit lorbeerbekränzten
Fasces. Darauf erſcheint Caeſar im Purpurkleid mit ſeiner Gemahlin
Calpurnia, die von Edelſteinen funkelt. Sie ſind von einem zahlreichen
Gefolge begleitet.)

Calpurnia.

Du solltest Dich der rauhen Winterluft
Nicht ohne Noth aussetzen, mein Gemahl.

Caesar.

Ich dank' es solcher rauhen Winterluft,
Strapazen und Beschwerden ohne Zahl,
Daß ich mir meinen Leib, der schwächlich war,
Gekräftigt.

Calpurnia.

Doch das Alter rückt heran.

Caesar.

Das Alter kenn' ich nicht. Er, dem die Götter
Von ihrem Feuer einen Funken lieh'n,
Bleibt bis zum letzten Athemzuge jung.
Nicht daß ich unersättlich wär' am Leben;
Für meinen Ruhm hab' ich genug gelebt;
Ich lebe nur noch für das Wohl des Reichs —

Calpurnia.

Du siehst Dich um — Wonach?

Caesar.

Nach Marcus Brutus.

Calpurnia.

Da kommt der Consul Marc Anton; Du kannst
Den einen Marcus statt des andern nehmen.

Caesar.

Antonius ist ein lustiger Cumpan,
Er kann recht ausgelassen fröhlich sein;
Doch meines Brutus stille Heiterkeit
Und sanft gelass'ner Ernst erfreut mich mehr.
Er gleicht der Quelle, aus der Tiefe kommend,
Die, immer gleich und unveränderlich,
Im Sommer kühl erscheint, im Winter warm.

(Zu Antonius.)
Kommt Brutus?

Antonius.

Ja.

Caesar.

Und Cassius?

Antonius.

Ebenfalls.

Es kostete mir Einen Gang; ich traf
Beim Brutus, denke Dir! den Cassius.

Calpurnia.

Was Wunder? Sind die Beiden doch verwandt.

Antonius.

Doch Caesar weiß, daß sie schon lang entzweit sind.

(Caesar nach vorn bei Seite ziehend.)

Ich traf sie im vertrautesten Gespräch.
Noch manche andre Feindschaft hab' ich jüngst
In einem stärkern Hasse schwinden seh'n.

Caesar.

Haß, meinst Du, gegen mich?

Antonius.

Nun, wen denn sonst?

Und Cassius zieht alle Mißvergnügten
Wie ein Magnet die Eisenfeile an.

Caesar.

Was Brutus anlangt — Du bist eifersüchtig!
Ich ziehe Dich so vielen Menschen vor,
Daß, sollte Brutus mir noch näher steh'n,
Du Dich darüber nicht beklagen darfst.
Dem Cassius ist freilich nicht zu trauen.
Ich mag von solchen magern Leuten nicht
Umgeben sein, sie denken mir zu viel.
Gieb mir in meiner Nähe wohlbeleibte
Und lustige Gesell'n wie diesen da!

(Antonius auf die Schulter klopfend.)

Antonius.

Er geht von Haus zu Haus und wühlt und wirbt.
Und alle Pompejaner, glaub' es mir,
Sind heimlich Deine Feinde nach wie vor.

Caesar.

Du fichtst noch immer bei Pharsalus, Freund!
Ich habe meine Feinde nicht allein
Durch Waffen überwunden, auch durch Großmuth.
Nenn' einen Römer mir, ich nenne Dir
Die Wohlthat, die ich ihm erwiesen habe.

Antonius.

Wer hat wie Du die Menschen kennen lernen!
Und dennoch rechnest Du auf Dankbarkeit?
Die früher mächtigen Geschlechter werden
Dir nie verzeih'n, daß sie es nicht mehr sind.
Die Weltregierung war für sie ein gutes
Geschäft.

Caesar.

Ja, dabei hab' ich sie gestört.
Doch laß sie noch so unzufrieden sein,
Sich zu empören, wagen sie nicht mehr.

Antonius.

Nicht offen; aber sie verschwören sich.

Caesar.

Verschwörung und Gespenster fürcht' ich nicht.

Antonius.

Du würdest nicht das erste Opfer sein,
Das unsern stolzen Optimaten fällt.

Caesar.

Soll Caesar nicht mehr sicher sein in Rom,
So muß Neptun im Meeresschoße zittern
Und Jupiter auf dem Olympe!

Antonius.

So?

Biſt Du denn unverwundbar wie ein Gott?
Iſt Stahl nicht hart? Haſt Du nicht weiches Fleiſch?
Woher denn dieſe hohe Zuverſicht?
Und worauf baueſt Du?

Caeſar.

Worauf ich baue?

(Mit der Linken Antonius an der Hand faſſend, mit der Rechten gen
Himmel weiſend.)

Siehſt Du den Stern?

Antonius.

Wo denn? Ich ſehe nichts.

Caeſar.

Siehſt Du den hellen Stern am Himmel ſteh'n?

Antonius.

Bei lichtem Tag? Ich ſehe keinen Stern.

Caeſar.

Ich aber ſehe dieſen ſchönen Stern
Und blick' empor zu ihm in hundert Schlachten.
Es iſt mein Stern! Es iſt des Caeſars Glück!

Antonius.

Die Sicherheit iſt unſer ſchlimmſter Feind.

Caeſar.

Und ſagteſt Du nicht, Brutus ſei dabei?
Da kann für Caeſar nichts zu fürchten ſein.
Ich muß an König Alexander denken.
Als ihm ſein Arzt und Freund verdächtigt war,
Da nahm er mit der einen Hand den Becher,
Auf Einen Zug ihn leerend bis zum Grund,
Und reichte ſeinem Freund die andre hin.
Willkommen, Brutus!

(Er reicht Brutus, der mit Caſſius und Calpurnia herankommt, ſeine Hand.)

Calpurnia.

Denke Dir, er hat
Uns seine Porcia nicht mitgebracht.

Brutus.

Sie fühlt zu Hause sich am wohlsten.

Calpurnia.

Ja,
Für ihre Häuslichkeit ist sie berühmt.
Sie kann ein Landgut richtig kaufen, sagt man.

Caesar.

Das heißt die Wirthschaft aus dem Grund versteh'n!

Calpurnia.

Nur sollte sie sich uns nicht so entzieh'n.
Fehlt mir beim Fest die liebe Porcia,
So fühl' ich mich wie einsam und verwaist.

Cassius (zu Brutus).

„Die liebe Porcia!" Klarer Honigseim!
Das falsche Weib! Sie liebt Euch Beide nicht.

Brutus (zu Cassius).

Mir schwur sie ja auch keine Liebe zu;
Doch liebt sie ihren angetrauten Gatten
Als treues, stets für ihn besorgtes Weib.

Caesar (zu Antonius).

Beginnst Du jetzt den Lauf?

Antonius.

Wie Du befiehlst.

(Musik in der Ferne; Caesar und Calpurnia wenden sich gegen das Forum:
das Volk klatscht.)

Brutus (bei Seite).

Klatscht! Klatscht! Ich nehm' es Euch so sehr nicht übel,
Als Caesar, daß er sich beklatschen läßt.

Antonius.

Ich muß mich als Lupercus jetzt bekleiden —
Entblößen, will das sagen, meine Brust. (Ab.) ·

Caesar.

Sieh dort die beste, reichste Jugend Roms,
Wie sie sich rüstet zu dem muntern Wettlauf.

Calpurnia.

Da springen sie ja lustig schon herum
Als Hirten mit dem Ziegenfell gegürtet
Und schlagen rechts und links die Frau'n damit,
Die sich den Laufenden entgegen stellen.

Caesar.

Denn die Berührung bringet Glück den Frauen,
Die ungesegnet sind.

Calpurnia.

　　　　　So sagt das Volk.

Caesar.

Calpurnia!

Calpurnia.

　　　Mein Gemahl!

Caesar.

　　　　　　Ich bitte Dich,
Tritt dorthin, Liebe.

Calpurnia.

　　　Wohin?

Caesar.

　　　　　　An die Herme;
Und stelle Dich Antonius in den Weg,
Laß Dich von ihm berühren. Thu' wie Alle.

Calpurnia.

Nicht doch!

Caesar.

Thu's mir zu Liebe.

Calpurnia.

Wenn Du, Caesar,
Darauf bestehst, so will ich thöricht scheinen. (Ab.)

Caesar.

Ich muß für sie mich abergläubisch stellen.
Ich weiß, sie thut es gern.

Brutus.

Es könnte sein;
Calpurnia kann noch Mutter werden.

Caesar.

Nein!
Da steht der Venus Tempel, altersgrau,
Von der das julische Geschlecht entstammt;
Sie haben dort mein Bildniß aufgestellt;
Das julische Gestirn auf meinem Haupt
Wird noch in ferne, ferne Zeiten leuchten,
Voll Glück und Frieden, voller Weltherrschaft —
Doch nicht auf meine Kinder, meine Enkel.
Die Götter gleichen Alles aus; sie gaben
Mir jedes andre Glück mit vollen Händen,
Nur nicht das Köstlichste, ein liebes Kind.

Brutus.

Der Venus Gunst erweist sich doch an Dir.
Die Herrscher pflegen nur den Krieg zu lieben;
Doch Du gesellst dem Mars die Venus zu,
Von Musen und von Grazien umringt.
Du liebst das Schöne, ehrest alle Künste
Beförderst sie und übst sie selber aus.

Caesar.

Welch eine Kunst?

Brutus.

Die höchste Kunst, die Sprache.

Caesar.

Ja, ich beschäftige damit mich gern,
Und meines Lebens Kummer ist bisweilen,
Daß ich nicht ganz den Musen leben darf.
Die Sprache! Welch ein Werkzeug! Unergründlich!
Und welch ein Meister, der es spielen kann.
Doch sind sie selten. Wo ist Cicero?

Brutus.

Als hört' er Deinen Ruf, so kommt er dort
Mit allen Senatoren und Antonius,
Dem Consul, der den Priester abgestreift,
Daher geschritten; denn sie wollen Dir
Die neuen Ehren selber überbringen.

(Caesar geht und setzt sich auf den goldnen Sessel, sein Gefolge stellt sich um
ihn im Halbkreis auf. Lictoren ohne Lorbeeren. Der Senat, angeführt
vom Consul Antonius. Pause.)

Caesar.
Was wollt Ihr?

Antonius (leise zu Caesar).

Caesar, stehst Du denn nicht auf?

Caesar (leise zu Antonius).

Die Rotte, die Du führst, Antonius,
Ist nicht des Aufsteh'ns werth. Beginne nur.

Brutus (zu Cassius).

Er steht nicht auf! Er steht nicht einmal auf!

(Unruhe und Murmeln unter den Senatoren.)

Cassius (zu Brutus).

Da siehst Du nun, was der Senat noch gilt.

Brutus.

Einst eine Schaar von Königen genannt!

Antonius (der inzwischen zu beruhigen gesucht hat).

Was Du für Rom gethan hast, dafür können
Allein die Götter würdig Dich belohnen;

3

Jedoch um uns're Dankbarkeit zu zeigen,
Hat Dich Senat und Volk zum ewigen
Dictator heut ernannt. Auch bitten wir
Du mögest immer in dem Kleide geh'n,
Das Dir am besten passet, dem Triumphkleid.
Erlaube, daß ich jetzt Dir das Decret
Verlese.

Caesar.

Laß, es wird nicht nöthig sein.
Ich zweifle nicht an seiner würd'gen Fassung,
Und dank' Euch dafür, daß Ihr dankbar seid.
So können wir aufbrechen?

Antonius.

Caesar, nein!
Ich habe noch zu reden vor dem Volk.

Brutus.

Antonius besteigt die Rednerbühne.

Cassius.

Nun merke, was des Caesars Helfer sagt.

Brutus.

Du sprichst zu dem, der läuft: „So laufe doch!"

Antonius (auf der Rednerbühne).

Quiriten, laßt uns heute nicht vergessen,
Am frohen Fest, wie nahe schon der Tag,
Der Trauertag, wo Caesar uns verläßt.
Mit seinen sieggewohnten Legionen
Bricht unser großer Imperator auf,
Die letzten Feinde Roms zu unterwerfen
Beim Sonnenaufgang, an dem Rand der Welt.
Die Könige des Ostens werden ihm
Entgegengeh'n und vor ihm niederknie'n;

Doch wenn sie uns als Feinde trotzen wollen,
Wird unser Caesar kommen, seh'n und siegen.
(Das Volk ruft: „Heil Caesar! Caesar Heil!")
Laßt ihn, den Mann, in dem die Majestät
Roms Fleisch geworden, laßt ihn nicht zurücksteh'n
Vor kleinen Königen des Morgenlandes,
Laßt uns ihn schmücken mit dem Diadem!
(Schwacher Beifall.)

Cassius (zu Brutus).

Die Wenigen, die klatschen, sind bestellt.
(Antonius neigt sich von der Rednerbühne herab und sucht eine prächtige Stirnbinde an Caesars Haupte zu befestigen.)

Caesar (das Diadem abwehrend).

Das ist zu viel! Ich schätze Deine Freundschaft;
Allein Dein Eifer führte Dich zu weit.
Die Würden werden mir zu Bürden schon.
Das ist zu viel. Ich bin ein röm'scher Bürger
Und will nicht mehr sein —
(Ungeheurer Beifall; Caesar kann nicht mehr zu Worte kommen.)

Cassius (zu Brutus).

Dieser Beifall kam
Nicht an der rechten Stelle, wie mir däucht;
Denn Caesar wollte, glaub' ich, weiter reden.
Man sagt im Eingang stets das Gegentheil
Von dem, was man zuletzt zu sagen meint.
Dies war der Eingang nur.

Antonius.

Mein hoher Freund,
Dem schlichten Bürger ziemt Bescheidenheit;
Du aber bist das Oberhaupt des Reichs,
Und was Dein Anseh'n mehrt bei den Barbaren,
Sei's noch so nichtig auch in Deinen Augen,
Darfst Du um Unsertwillen nicht verschmäh'n.

3*

„Der große König Roms!" so wird es heißen,
Und zitternd bringen Erd' und Waffer dar
Der Caramane und der Indier.
Uns unterwirft Dein Name schon die Länder,
Und unsrer Krieger Blut wird so gespart.
Drum, Caesar, nimm die Herrscherbinde an.

Caesar (das Diadem abermals zurückweisend).

Mag, was Du sagst, auch zu erwägen sein,
Es widersteht mir; bringe nicht in mich;
Ich will nur herrschen in der Bürger Herzen —

Volk (jubelnd).

Caesar, der Bürgerfreund, er lebe hoch!

Antonius.

Schwer wiegen meine Gründe, sagst Du selbst;
So laß sie überwiegen, großer Caesar,
Und nimm das Diadem.

Caffius.

Er widersteht

Zum britten Mal, doch schwach, und flucht im Herzen
Dem dummen Volk, das seine wahre Meinung
So schlecht verstehen kann.

Volk.

So laß ihn doch!

Antonius, laß Caesar doch in Ruh.
Er will nicht König sein. Der Bürger Caesar,
Er lebe hoch! Hoch! Hoch! (Großer Jubel.)

Caesar (das Diadem unwillig wegstoßend).

Fort mit dem Band!

Man wird mich wohl noch gar der Herrschsucht zeih'n!
Herrschsüchtig? Wer mich also nennen will,
Zeigt wenig Einsicht; denn er sollte sagen,
Daß dieses Weltreich herrschbedürftig ist.

Sie sollten Gott auf ihren Knieen danken,
Daß Jemand da ist, welcher sie beherrscht,
Beherrschen kann.

Antonius.
Du redest wie ein Gott.

Caesar.
Sie haben mich mehr nöthig, als ich sie.
(Alle ab, bis auf Brutus und Cassius.)

Sechster Auftritt.
Brutus. Cassius.

Cassius.
Freund, hab' ich Recht gehabt?

Brutus (seufzend).
Du hattest Recht.

Cassius.
Du bist beredt; doch dieser Seufzer war
Beredter noch als Deine schönste Rede.

Brutus.
Ja, Caesar will die Republik vernichten.

Cassius.
Nun höre!

Brutus.
Sprich!

Cassius.
Die hohe Republik,
Die erste aller Länder, aller Zeiten,
Hat treue Freunde noch. Es giebt noch Römer,
Die nicht sich blindlings in die Knechtschaft stürzen.
Tarquinius der Stolze wandelt schon

Von Neuem mitten unter uns herum;
Sie aber leisteten in ihrem Herzen
Den Schwur, den auf den Dolch Lucretia's,
Vom Blute triefend, Junius Brutus that:
Rom zu befrei'n von dem Tyrannen. Sage,
Bist Du entartet, oder willst Du helfen
Rom zu befrei'n von dem Tyrannen? Sprich!
Und soll ich mit den besten Herzen Roms
Heut' Abend zu Dir kommen, Marcus?

(Er streckt seine Hand aus.)

Brutus (ihm langsam und zögernd die Rechte reichend.)

Kommt!

Zweiter Aufzug.

Erster Auftritt.

Im Hause des Brutus.

Porcia, die Spindel drehend. **Brutus** tritt ein, in Gedanken verloren, und bemerkt seine Gattin erst, als er vor ihr steht.

Brutus.

Du spinnst!

Porcia.

   Und darf ich nicht ein wenig spinnen?
Mein Vater hatt' es gern, und dann erzählt' er
Viel von der Einfachheit der alten Zeit,
Und wie man ehedem die Grabschrift setzte:
„Sie spann die Wolle, und sie lebte keusch."
Wenn ich den Rocken unter'm Arme halte,
Versetz' ich in die Jugend mich zurück.

Brutus.

Doch wenn Calpurnia Dich so erblickte!

Porcia.

So würde sie gewiß darüber spotten.
Ich bin ihr viel zu einfach, weiß ich wohl.
War sie denn gestern auch beim Feste?

Brutus.

        Ja.
Und hat beim Wettlauf wie die andern Frau'n
Sich mit dem Ziegenfell berühren lassen.

Porcia.

Wie kann man nur so abergläubisch sein!

Brutus.

Wer wäre nicht ein wenig abergläubisch,
Besonders, wenn ein Herzenswunsch sich regt!

Porcia.

Ich weiß, daß kaum ein Tag vorübergeht,
Wo sie nicht heimlich ihre Thränen weint,
Daß sie noch Caesar keinen Erben schenkte.
Ihr Mißgeschick versöhnt mich fast mit ihr,
Sonst würd' ihr Hochmuth unerträglich sein. —
Ich weiß nicht ob Du hörtest, was ich sprach.

Brutus (der bald sitzt, bald unruhig umhergeht).

Wie, Porcia?

Porcia.

     Du hast mich nicht gehört!
Calpurnia sei so übermüthig, sagt' ich,
Als ob sie alle Siege Caesars selbst
Erfochten hätte.

Brutus.

     Ei, da hat sie Recht;
Denn sie besiegte ja den Sieger selbst.
Du magst Calpurnia einmal nicht leiden.

Porcia.

Ich fühle mich zu ihr nicht hingezogen.
Mißfallen und Gefallen aber sind
Gewöhnlich wechselseitig, weißt Du wohl.
Sie hat mich auch nicht gern.

Brutus.

     Warum denn nicht?

Porcia.

Ich glaube, weil ich nichts vorstellen will;
Sie aber will stets erste Frau in Rom sein,
Wie die Cypresse unter niedrigem
Gesträuche dasteh'n.

Brutus.

Sie ist hochgewachsen
Und eine Juno, würdig ihres Zeus.

Porcia.

Sie schmückt sich auch nach Art der Juno auf,
Mit einem solchen großen, großen Kopfputz!
Man möchte gleich nach ihren Füßen seh'n,
Ob etwa Pfauen ihren Wagen zieh'n:
So junogleich durchsegelt sie die Luft.
Berechnet ist ihr ganzes Wesen stets.
Sie kann ja gar nicht mehr natürlich sein.
Ich aber gebe mich nur wie ich bin;
Kurzum, wir passen nicht zusammen. (Pause.)

Brutus.

Nein!

Porcia.

Und wie beflissen sie sich zeigen mag,
So faßt' ich doch noch nie zu ihr ein Herz.
Was sagest Du denn von Calpurnia?

(Pause; Porcia schüttelt den Kopf.)

Er merkt nicht einmal, daß ich nicht mehr spreche!
(Sie steht auf, legt die Arbeit weg, tritt nahe an Brutus und redet ihn
laut an.)

Brutus!

Brutus.

Was willst Du, Porcia, von mir?

Porcia.

Liebst Du mich noch?

Brutus.

Welch ein Frage, Kind!
Wie an der jungen Ehe erstem Tag!
Wie kommst Du, theure Porcia, darauf?

Porcia.

Vertrauen muß der Liebe Siegel sein.

Brutus.

Vertrau' ich Dir denn nicht?

Porcia.

Nicht mehr. Nicht ganz.
Du bist des Tags zerstreut und düstern Sinnes,
Und frag ich, was Dir fehle, sagst Du: „Nichts!"
Nachts wirfst Du auf dem Lager Dich herum
Und stöhnst und seufzest selbst im Schlafe noch.
Du sprichst im Traume —

Brutus.

Woher weißt Du das?
Du schläfst doch sanft und ruhig neben mir.

Porcia.

Ich schlafe nie, so lange Du noch wachst,
Nicht ruhig schlummerst, mein geliebter Mann.
Mein Leben hängt an Deinem Athemzuge.

Brutus (sie umarmend).

O welch ein Weib! Ich bin beneidenswerth.

Porcia.

Ich will Vertrauen und nicht Schmeichelei.
Ich soll ja nicht bloß Tisch und Bett mit Dir,
Ich soll auch Glück und Sorgen mit Dir theilen.
Was waren das für dunkele Gestalten,
Die gestern Abend huschten durch den Flur?
Es schien mir fast, sie hatten Masken vor.

Brutus.

Das bildeft Du Dir ein.

Porcia.

Sie zeigten doch
Nicht ihr Geficht. Was war das für Gefindel?

Brutus.

O Porcia, die beften Männer Roms!

Porcia.

Löft etwa diefes Rom fich wieder auf
In Räuberbanden? Und was flüftertet
Ihr bei verfchloff'nen Thüren fo geheim?
Kann, was das Licht fcheut, je mein Brutus thun?

Brutus.

Nein, Porcia, dringe weiter nicht in mich;
Denn diefe Sachen geh'n nur Männer an.
Die Frauen find das fchwächere Gefäß;
Sie können viel, was Männer nicht vermögen,
Doch ein Geheimniß können fie nicht hüten.
Ich faß ja oftmals auf dem Richterftuhl,
Und manchen trotz'gen Sclaven fah ich fchon
Beharrlich fchweigen auf der Folterbank.
Die Zunge einer Frau ift leicht gelöft;
Ich brauchte nur zu droh'n, nur meine Stirn
Zu runzeln, und die Frau'n bekannten fchon.
Sie können Qual und Schmerzen nicht ertragen,
Und fchon das Schweigen ift für fie ein Schmerz.

Porcia.

Das Alles hör' ich nicht zum erften Mal!
Und öfters dacht' ich nach, wodurch ich wohl,
Mein lieber Mann, Dich überzeugen könnte,
Daß Deine Porcia nicht angehört
Dem fchwachen Frauenvolke, das Du fchilderft.

Da nahm ich dieses spitze Messer, sieh!
Und stieß es bis ans Heft mir in den Schenkel.
Ein heftiges Wundfieber folgte nach;
Doch sahst Du eine Miene mich verzieh'n?

Brutus.

Du trugst den brennenden Schmerz mit Dir herum?
O Porcia, was seh' ich? Dort ist ja
Dein Kleid mit Blut durchtränkt! Mein tapfres Weib,
Du bist des Cato Tochter!

Porcia.

Sage doch:
Du bist des Brutus Gattin! Darauf bin ich
Am meisten stolz.

Brutus.

Ja, Du vermagst zu schweigen
Und Alles sollst Du wissen, theure Frau.
Die dunkelen Gestalten, sagt' ich schon,
Sind unsre besten Männer: Cassius,
Trebonius, Decimus Brutus, Tillius Cimber
Und Casca und Ligarius. Sie Alle
Sind kühn bereit das Leben aufzuopfern,
Wenn sterbend sie das Vaterland befrei'n.
Wir wollen Rom befrei'n von dem Tyrannen.

Porcia.

Und Caesar tödten?

Brutus.

Ach, was sprichst Du da?
Mir, mir durchbohrst Du mit dem Wort das Herz.
Was Cassius auch mir sagen mochte —

Porcia.

Cassius?
So hat Dich also Cassius überredet?

Brutus.

Ich hatte einen Cassius im Busen;
Sonst würd' er mich nicht überredet haben.
Doch daß ich meinen Caesar tödten soll,
Das liegt auf meinem Herzen, sieh! so schwer,
Wie auf der Brust des ächzenden Titanen
Der ganze Aetna lastet.

Porcia.

Armer Mann!

Brutus.

War's Caesar nicht, der mir das Leben schenkte
Und nie ermüdete mir wohlzuthun?
Das Rührendste von Allem blieb mir dies.
Am Abend von Pharsalus war er nicht
So sehr besorgt um alle seine Freunde,
Als er um mich es war, um seinen Feind.
Und so befahl er seinen Leuten an,
Sie sollten als das beste Beutestück
Ihm Brutus bringen. „Aber wenn er sich
Zur Wehre setzt, rief Caesar ihnen nach,
So laßt ihn ruhig zieh'n; er mag entkommen;
Ihr dürft mir Brutus nichts zu Leide thun!"
Er wollte mir die kleinste Wunde sparen,
Und ich — Und ich — Verdient' er das um mich?
Er liebt mich wahrhaft.

Porcia.

Ja, er liebt Dich, liebt Dich,
Soweit er einen Menschen lieben kann.
Die ganze Gattung ist ihm zu gering.
Wenn eine Seele voller Herrschsucht ist,
So hat sie keinen Raum für einen Freund.

Sieh, solche kalte Seelen brauchen nur
Werkzeuge. Deine Freundschaft diente ihm —

Brutus.

Wozu?

Porcia.

Du denkest zu gering von Dir.
Wenn Deine Freundschaft ihm nicht nützen kann,
So ziert sie ihn doch. Wie ein Tugendmantel
Hüllt sie die Pläne seiner Ehrsucht ein.

Brutus.

So wird man mir aus meiner Freundschaft gar
Noch einen Vorwurf machen?

Porcia.

Allerdings.

Du warst von seinem Umgang wie berauscht.

Brutus.

Ja, wahre Größe weckt Begeisterung,
Und Caesar ist der größte aller Menschen,
Die waren und, vielleicht, die künftig sind.

Porcia.

Ich weiß nur, daß er mich um meinen Vater,
Uns Alle um das Vaterland gebracht.

Brutus.

Mag Caesar ein Verbrecher sein, doch liebt er,
L i e b t seinen Brutus — (In tiefster Bewegung) Ja! Und
Brutus ihn!

Porcia (nach einer Pause).

Sei's denn. Er liebe Dich um Deinetwillen,
Und seine Freundschaft soll unsträflich sein.
Ich sage Dir, Du darfst nicht Rücksicht nehmen
Auf Alles, was Dir Caesar war als Freund,
Wenn Du Dein Vaterland befreien willst.

Du wünscheſt immer Deine Pflicht zu thun;
Doch aus dem Widerſtreit der Pflichten weiß
Dein Herz ſich noch nicht ganz herauszufinden.
Wie? Kannſt Du zweifeln, wo die höh're ſei?
Das Vaterland ſchließt aller Götter Tempel,
Das Vaterland ſchließt alle Pflichten ein!
Jetzt mußt Du ſein wie jener Junius Brutus,
Der ehern auf dem Capitole ſteht
Mit nacktem Schwerte. Und er ſelber glich
Dem kaltgeſchmiedeten Schwert. Er ſchonte ja
Das Leben ſeiner eig'nen Söhne nicht,
Als ſie mit dem vertriebenen Tyrannen
Zuſammen ſich gerottet hatten. Sieh,
Iſt etwas groß, das keine Opfer koſtet?
Man muß dem Vaterlande Alles opfern,
Das Leben nicht allein und äuß're Güter,
Auch ſeine innerſten Empfindungen.
Der alte Brutus gab die Söhne Preis,
Und Du beſinnſt Dich einen Freund zu opfern?

Brutus.

Das Schwerſte iſt, nicht ſeine Pflicht zu üben,
Nein, zu erkennen. Und das dank' ich Dir.
Ein Sonnenzeiger kann ſich in der Stunde
Nicht irren, und Dein ſonnenklarer Geiſt
Schien auch beinah unfehlbar mir zu ſein.
Ich pflegte ſtets mit Dir zu Rath zu geh'n;
Was mich bedrückte, war am meiſten wohl,
Daß ich mich Dir nicht offenbaren konnte.
Da Du mir beiſtimmſt, da Du zu der That
Mich ſelbſt noch antreibſt, ſchwinden alle Zweifel.
Schon kehr' ich zu der Heiterkeit zurück,
Der ich mich ſtets erfreute. Porcia,

Du bist die eine Hälfte meiner Seele,
Und siehe da, sie ist der andern gleich.
So bin ich eins geworden mit mir selbst.
Und horch, es ist im rechten Augenblick:
Da kommen schon die Männer.

Porcia.

Laß mich geh'n.

(Brutus umarmt Porcia und führt sie weg.)

Zweiter Auftritt.

Cassius. Decimus Brutus. Trebonius. Casca. Ligarius und
andere Verschworene treten ein.

Trebonius.

Hier angelangt im Haus des Brutus haben
Wir unsern Weg schon halb zurückgelegt.

Cassius.

Es hat sein Beispiel Manchen nachgezogen,
Und die bereits für uns gewonnen waren,
Erfüllt es doch mit neuer Zuversicht.

Trebonius.

Wer könnte zweifeln noch an einer That,
Bei der man Brutus zum Genossen hat?

Brutus (kehrt zurück. Seine Hand reichend).

Willkommen, Römer! Theurer Cassius!
Trebonius! Dolabella! Decimus!
Sei, Tillius Cimber, herzlich mir gegrüßt!
Auch Du, Ligarius? Ich hörte sagen,
Du wärest krank.

Ligarius.

Ich bin gesund geworden,

Als ich vernahm, wozu uns Marcus Brutus
Anführen wolle.

Brutus.

Sieh! Mein tapfrer Casca!
Du stiegst einmal hinab in die Arena
Und kämpftest zum Vergnügen mit den Fechtern
Auf Tod und Leben. Heute setzest Du
Dein Leben an ein edler Wagestück.
Doch Cinna fehlt. Wo bleibt der wackre Freund?

Ein Verschworner.

Er wollte kommen.

Mehrere.

Ja.

Brutus.

Und Cinna ist
Sonst doch der Pünktlichste. Ich miß ihn ungern.
Zu denen, die sich gestern hier versammelt,
Seh' heut ich Manche noch hinzugekommen.

Cassius.

Doch Keinen, der nicht Herz und Sehnen hat.

Brutus.

Nicht Alle kenn' ich; Euer Kommen aber
Genügt, um Euch als Männer auszuweisen,
Und so begrüß ich Euch als Freunde schon.
Wer soll den Vorsitz der Versammlung führen?

Cassius.

So durfte Niemand fragen hier als Du.

(Alle verneigen sich vor Brutus; dieser tritt in die Mitte, die Verschwornen
ordnen sich zu beiden Seiten.)

Brutus.

So lang er noch die alten Ordnungen
Bewahrte und den Schein der Republik,

4

So lange hatten wir noch einen Vorwand,
Das Leben mit der Knechtschaft zu erkaufen —

Ein Verschworner.

Da klopft es! Horcht!

Mehrere.

Wer ist's?

Cassius.

Ein Bote Caesars?

(Aufregung unter den Verschwornen.)

Trebonius.

Vielleicht ist schon das Haus umstellt von seinen
Soldaten!   (Es wird nochmals geklopft.)

Casca.

Waffen! Waffen!

Brutus.

Ruhig doch!

(An die Thür gehend, an der zum dritten Mal geklopft wird.)

Wer klopft?

Cinna (draußen).

Ich, Cinna.

Brutus.

Ja es ist die Stimme
Von unserm Freunde Cinna.   (Er öffnet.)

Cinna (hereinstürzend, athemlos).

Wißt Ihr's schon?

Auf meinem Wege ward ich aufgehalten
Durch einen Volksauflauf, sonst wär' ich längst —
Kennt Ihr die neu'ste That des Caesar?

Alle.

Nein!

Cinna.

Die Herrscherbinde, die Antonius
Zu unsrer Augen Schmach ihm gestern anbot,

Sehr wider Willen nur von ihm verschmäht —
Sie schmückten seine Statue damit.

Ligarius.

Wer that das?

Cinna.

Caesars Freunde, wer denn sonst?
Die Volkstribunen Flavius und Marullus
Entfernten diese Binde, zornentbrannt,
Und rissen sie herab. Das Volk, es klatschte.
Was aber that da Caesar? Der Tyrann
Entsetzte die Tribunen ihres Amts!

Brutus.

Die Volkstribunen abgesetzt? Dort steht
Das Capitol, sonst kennt' ich Rom nicht mehr!

Cinna.

Unmöglich ist jetzt nichts mehr, siehst Du wohl.

Brutus.

Da von der ganzen Republik und ihren
Zwölf Tafeln nur das Täfelchen noch gilt,
Auf dem er seinen Willen niederschreibt,
Und Caesar ein Tyrann geworden ist —

Casca.

Das wußt' ich längst; wozu noch viele Worte?
Daß der Tyrann getödtet werden soll,
Ist gestern schon von uns beschlossen worden,
Sonst muß ich, meiner Treu, vergessen haben,
Was Tödten auf Latein heißt.

Brutus.

Rauher Freund —

Casca.

Wenn Ihr noch schöne Reden halten wollt,

Von Freiheit und wer weiß was — laßt mich geh'n,
Und ruft mich wieder, wenn Ihr fertig seid.

Brutus.

Die That ist schon beschlossen, wie Du sagst;
Doch heut ist noch das Schwerste zu berathen,
Die Weise wie sie auszuführen ist.

Cassius.

Vor allen Dingen laßt uns schwören.

Brutus.

Nein!
Meineid'ge schwören, Krämer und Betrüger;
Die echten Männer brauchen keinen Eid;
Denn jedes ihrer Worte ist ein Schwur.

Trebonius.

Wenn ein Verräther eingeschlichen wäre!

Brutus.

So würd' ihn auch ein Eid nicht binden, Freund;
Denn klaftertief noch unter Meineid liegt
Dort unten in der Hölle der Verrath.

Cassius.

Zuerst denn: Wer soll sterben?

Brutus.

Wer denn? Caesar!
Wer sonst?

Cassius.

Und Niemand außer ihm? Ich fürchte,
Wenn wir Antonius am Leben lassen,
So lebt in ihm uns Caesar wieder auf.
Antonius steckt ja tief in Caesars Plänen.
Und ist ein schlechtrer Caesar —

Brutus.

Lieber Freund —

Caffius.

Er ist der Consul und er hat die Macht.

Brutus.

Wir brauchen nicht Antonius zu fürchten.

Decimus Brutus.

Antonius kennt den gemeinen Mann
Und weiß ihn zu behandeln, wendet ihn
Auf diese Seite und auf jene Seite
Wie einen Hering in der Pfanne um.
Leicht kann Antonius gefährlich werden.

Brutus.

Was kann Antonius ohne Caesar? Nichts!
Er ist ein Schwert, doch Caesar ist der Griff;
Er ist ein Arm, doch Caesar ist der Geist.

Caffius.

– Er wird schon handeln lernen ohne Caesar,
In dessen Gegenwart — er sagt es selbst —
Er immer sich wie überschattet fühlt.

Ligarius.

Wenn wir Antonius verschonen wollen,
Gebt Acht, so hauen wir den Baum nur um,
Doch seine Wurzel schlägt von Neuem aus.

Casca.

Antonius ist der Freiheit schlimmster Feind.

Brutus.

Es sind die schlimmsten Zeiten, wenn sogar
Schon die Gesinnung strafbar werden soll.
Was hätte denn Antonius verbrochen?
Rechtschaffen wär' es nicht ihn zu bestrafen,
Eh eine Schuld ihm nachgewiesen ward.
Kein Blutvergießen mehr, als nöthig ist!
Im Blute gleitet leicht der Fuß uns aus.

Denkt doch an Marius' und Sulla's Zeiten!
Drum sterbe der Tyrann und Niemand sonst.

(Die Mehrzahl giebt ihre Zustimmung zu erkennen.)

Wann soll er sterben? Wo?

Cassius.

            Auf des Märzes Iden
Sind morgen wir geladen zum Senat,
Und in die Halle des Pompejus. Dorthin,
Wo auch das Bildniß des Pompejus steht,
Ruft ihn die Nemesis. Dort muß er sterben.

Decimus Brutus.

Und morgen wird der Antrag eingebracht,
Daß Caesar künftig König heißen soll
Zu Land und auch zur See und überall —
Italien allein ist ausgenommen —
Zum größern Schrecken aller Feinde Roms.

Cassius.

Das ist der Anfang und das Ende klar.
Wie lang wird's dauern, und wir werden vor ihm
Wie vor dem großen Perserkönige
Den Boden mit der Stirn berühren müssen!

Brutus.

Ihr seht es wohl, es ist die letzte Frist.
Doch wird auch Caesar morgen im Senat
Erscheinen, Freunde?

Ligarius.

          Warum sollt' er nicht?

Brutus.

Als Caesar heimging, trat ihn gestern ein
Wahrsager an und schrie mit lauter Stimme,
Daß alles Volk ihn hörte: „Caesar! Caesar!
Nimm vor des Märzes Iden Dich in Acht!"

Ligarius.

O, Caesar ist nicht abergläubisch.

Brutus.

       Doch

Sein Weib Calpurnia. Sie stand dabei.

Decimus Brutus.

Seid unbesorgt. Ich bin der Freund des Hauses
Und hole Caesar in die Sitzung ab.
Ich bin kein Lictor, doch ich hol' ihn ab
In den Senat, darauf verlaßt Euch.

Brutus.

        Gut.

So hätten wir wohl nichts mehr zu berathen?

Ligarius.

Wollt Ihr nicht Cicero in unsern Bund
Aufnehmen? Denn er ist wie wir gesinnt,
Und groß das Ansehn des beredten Mannes.

Decimus Brutus.

Nein, er ist sehr bedenklich von Natur.

Casca.

Verzagt!

Decimus Brutus.

  Das Alter mehrte diese Schwäche.

Casca.

Er würde bald von seinem Magenweh
Befallen auf sein Tusculanum eilen.

Brutus.

Ja, laßt ihn aus dem Spiel; er dankt es uns
Und wird die That bis an die Sterne preisen.
So kommt denn in die Sitzung des Senats
An des Märzes Iden mit dem Dolch im Busen,
Und Julius Caesar, der in Allem groß war,

Wird groß auch noch im Tode selbst erscheinen.
Wir senden keine feilen Mörder aus,
Wir kommen selbst, die ersten Männer Roms,
Und tödten den, der unfrer Republik
Bereits den Todesstoß verfetzen wollte,
Inmitten aller feiner Herrlichkeit,
Hochthronend auf dem goldnen Stuhl der Macht.

Ligarius.

Er will ein Gott fein, dieser Caefar? Wohl!
Wir wollen ihn zu einem Gotte machen,
Wie unfre Väter einft den Romulus.

Casca.

Ich bitte, Freunde, um den erften Stoß!

(Er zieht feinen Dolch und schwingt ihn in der Luft, während der Vorhang fällt.)

Dritter Aufzug.

Erster Auftritt.

Prächtige Halle im Hause des Caesar.

Caesar. Calpurnia.

Calpurnia.

Mir träumte heut —

Caesar.

Ich gebe nichts auf Träume.
Das Nichtigste auf Erden ist ein Traum.

Calpurnia.

Man weiß, daß Träume eingetroffen sind.

Caesar.

Die werden dann erzählt, die andern nicht.

Calpurnia,

Laß mich doch meinen Traum berichten.

Caesar.

Nun?

Calpurnia.

Das Giebeldach, das unser Haus verziert
Und einem Tempel gleich erscheinen läßt —
Die höchste Ehre, die Dir widerfuhr —
Ward eingerissen und es fiel zu Boden.
Es krachte so, daß ich davon erwachte.

Die Thüren sprangen auf. Ich hörte deutlich
Wie einen dumpfen Ton die heil'gen Waffen
Des Mars, in unsrer Halle aufgehängt,
Vernehmen ließen —

Caesar.

            Und was war es denn?
Nichts! Eine leichte Erderschütterung.

Calpurnia.

Der Siegesgöttin auf dem Capitol
Sind ihre Zügel aus der Hand gefallen,
Als könnte sie die Rosse nicht mehr lenken.
Noch viele schlimme Vorbedeutungen
Erzählt man sich. Und willst Du, alle Zeichen
Verachtend, heute geh'n in den Senat?

Caesar.

Ich werde geh'n trotz eines dummen Traums.

Calpurnia.

Der Traum ist, wenn auch keine Götterstimme,
Doch eine innere Stimme, die uns warnt.

Caesar.

Wenn ich's nicht besser wüßte! Liebes Weib,
Was Dir im Sinne liegt, das ist der arme
Wahrsager, der mir schreiend in den Weg trat,
Um vor dem heut'gen Tage mich zu warnen.
Da ihm die Kunden nicht genug in's Haus
Mehr kommen, um sich prophezei'n zu lassen
Für etwas Kupfermünze, dacht' er seine
Brodlose Kunst an Caesar zu versuchen.

Calpurnia.

Und zu den Zeichen, Träumen und Orakeln
Kommt, daß die Opfer schlecht von Statten geh'n.

Caesar.

So meldeten die Priester heute früh;
Sie werden besser kommen. Davus!

Diener.

Herr!

Caesar.

Geh zum Altare, wo die Priester schlachten,
Und frage, ob die Opfer günstig sind.   (Diener ab.)
Ich werde geh'n, was auch die Priester sagen;
Ich frage nur um Deinetwegen nach.
Du bist doch sonst nicht abergläubischer,
Als unsre Weiblein in der Regel sind.

Calpurnia.

Die Opfer sind Dir Aberglauben auch?
So ruht das ganze Reich auf Aberglauben.
Bist Du nicht Augur selbst und Pontifex?
Und hast Du nicht vor jeder Schlacht geopfert?

Caesar.

Die Thiere ließ ich schlachten, dafür sorgt' ich,
Doch kehrte mich nicht an die Eingeweide.
Ich gab den Sieg wahrhaftig nicht aus Händen,
Weil nicht die heil'gen Hühner fressen wollten,
Und weil der Brei, aus ihrem Schnabel spritzend,
Auf's Estrich niederfiel mit einem Klatsch,
Der einem Priesterohr nicht günstig klang.
So faßt' ich meine Feldherrnpflicht nicht auf.
Bei Thapsus lief der Opferstier davon;
Die Priester waren fast in Todesangst,
Das Volk entsetzte sich. Ich lachte nur,
Und, weißt Du, ich erfocht den großen Sieg.
So handelt' ich als Feldherr, unbesorgt,
Was Götter oder Priester dazu sagten.

Calpurnia.

So solltest Du als Augur doch nicht reden.

Caesar.

Ein Augur lacht, wenn er den andern sieht.

Calpurnia.

O spotte nicht der alten heil'gen Lehren!

Caesar.

So war es stets und wird es ewig sein:
Wir schleppen mühsam mit dem Aberglauben
Vergangener Geschlechter uns herum.
Was hast Du, Davus?   (Diener kommt zurück.)

Diener.

     Herr!

Caesar.

         So rede doch!

Was giebt es?

Diener.

Böse Zeichen, Herr.

Calpurnia.

         O Gott!

Diener.

Die Priester lassen Dir verkündigen,
Du möchtest heut nichts unternehmen, Herr!
So schlechte Zeichen sahen sie noch nie
Und fanden in dem Opferthier kein Herz.

Calpurnia.

Kein Herz im Opferthier!

Diener.

     Es ist entsetzlich.

Caesar.

Kein Herz im Thiere!

Calpurnia.

     Ist es nicht ein Wunder?

Caesar.

Geh, Knabe, hin und sage diesen Priestern,
Wenn sie im Thier das Herz nicht finden konnten,
So hätten sie nicht recht gesucht. Es lebt
Kein Wesen ohne Herz. (Diener ab.) Das dumme Volk!

Calpurnia.

Geh nicht! Ich bitte und beschwöre Dich.
Du bist auch unpaß.

Caesar.

    Wer ist ganz gesund?
Erbärmliche Geschöpfe sind es nur,
Die immer ihres Leibes warten wollen.

Calpurnia.

Du gehst mit wunderbarer Zuversicht
Durch alle Wechselfälle dieses Lebens,
Den ew'gen Göttern gleich. Ich aber bin
Ein schwaches Weib. Nur diesmal schone mich
Und gehe heute nicht in den Senat.

(Caesar antwortet nicht mehr.)

Calpurnia (ihm zu Füßen fallend, mit steigender Heftigkeit).

Wenn Du mich liebst — daß ich das letzte Mittel
Anwenden muß! — Wenn ich nicht denken soll,
Du hab'st mit meinem Herzen nur gespielt
Wie mit den andern allen — denn Du hast
Auch alle Frauenherzen stets besiegt —
Wenn Du mich liebst — den ich vergöttere,
Anbete — mein Gemahl, so gehe nicht,
So gehe heute nicht in den Senat! —
Willst Du zu Hause bleiben?

Caesar (sie aufhebend).

       Deinethalb

Zweiter Auftritt.

Die Vorigen. Decimus Brutus.

Decimus (eintretend).

Seid mir gegrüßt!

(Caesar und Calpurnia kehren sich um und begrüßen ihn.)

Calpurnia.

Willkommen, Decimus!

Caesar (ihm die Hand reichend).

Mein theurer Freund! Was giebt es?

Decimus.

Schönes Wetter,

Ein Morgen wie im Mai. Und der Senat
Kommt in Pompejus Halle schon zusammen.

Calpurnia.

Es thut mir leid, daß sich die Senatoren
Umsonst bemüht; denn Caesar kann nicht kommen.

(Decimus erschrickt.)

Ja, mein Gemahl ist unwohl.

Decimus.

Ist es wahr?

Caesar.

Nichts von Bedeutung.

Calpurnia.

Und die Priester haben
Sehr dringend abgerathen, schlimme Zeichen
Verkündigt, lieber Decimus. Sie fanden
Im Opferthiere, denke Dir, kein Herz!

Decimus.

Du willst nicht kommen, Caesar?

Caesar.

Nein, ich bleibe

Aus allen diesen Gründen heut zu Haus.
Ich hoffe, sie genügen dem Senat.

Decimus.

O der Senat muß ohne Gründe schon
Zufrieden sein! Vom Wink des Jupiter
Hängt Erd' und Himmel ab. Doch weißt Du, Caesar,

(ihn bei Seite ziehend)

Wie wichtig grade heut die Sitzung ist,
Wie mühsam Alles vorbereitet worden —

Caesar.

Mich halten auch noch andre Gründe ab;
Calpurnia hatte böse, schwere Träume.

Decimus.

O Herr, so soll ich dem Senate sagen:
„Ihr könnt nach Hause geh'n; denn Caesar kommt nicht,
Weil seine Gattin böse Träume hatte?"

Calpurnia.

Was flüstert ihr zusammen?

(Sie reden von jetzt an wieder laut.)

Decimus.

Da die Krankheit
Nichts zu bedeuten hat, so zwinge Dich
Und komme lieber heut.

Calpurnia.

Du solltest nicht
Den Göttern widerstreben und dem Caesar.

Decimus (zu Caesar).

Du kennst die Spötterreden Cicero's:
Er würde sagen: „Warum kommt er nicht?
Den Opferthieren fehlte nicht das Herz,
Wohl aber Caesar'n."

Caefar.

Ja, er läßt zu frei
Die Zunge fchalten.

Calpurnia.

Er verfchonet Keinen.
Die Zunge bringt ihn einft noch um den Kopf.

(Sie ftellt fich zwifchen Decimus und ihren Gatten.)

So geh' doch, fage dem Senate ab.

Decimus.

Ein Wort noch, Imperator, insgeheim.

Caefar (mit ihm bei Seite tretend).

Haft Du noch einen Grund mir zu vertrau'n,
Den Du nicht offen zu erörtern wagft?
So rede doch.

Decimus.

Wenn Du's geftatten willft.
Du weißt, daß Jeder, felbft der mächtigfte
Der Männer ausgefetzt ift dem Gefchwätz,
Daß er von feinem Weib —

Caefar.

Gegängelt werde?
Was fagft Du, Decimus? Man glaubt — Man fagt —
Man fagt, daß ich — daß Julius Caefar felbft
Sich leiten laffe von — Das erfte Mal,
Daß folch Gefchwätz mich felber nicht verfchont!

Decimus.

Das erfte Mal nur, daß Du davon hörft,
Da meinen Freimuth Keiner fonft befitzt.

Caefar.

Du bift der Freund des Haufes, rede dreift.
Wie konnte folch ein albernes Gefchwätz
Auch nur entftehen? Sprich.

Decimus.

Calpurnia
Hat viele Majestät in ihrem Wesen.
Sie gleicht der Juno und Du darfst nicht zürnen,
Da selbst vom höchsten Jupiter es heißt,
Daß seine Frau ein Wort zu sagen habe.
Wenn nun das wichtigste der Staatsgeschäfte
Bloß wegen eines Traum's Calpurnia's —

Caesar (wendet sich ab, und fährt laut auf).

Wir geh'n in den Senat!

Calpurnia (die ängstlich beobachtend dagestanden hat).

Du hast mir doch
So eben noch versprochen, mein Gemahl —

Caesar.

Wir geh'n! Wir geh'n! Du hast in Staatsgeschäfte
Dich gar nicht einzumischen, hab' ich Dir
Schon oft gesagt. (Zu Decimus.) Ich bin sogleich bereit.

(Caesar geht, um sich zum Aufbruch zu rüsten.)

Decimus (bei Seite).

Er läßt sich nicht von seiner Frau beherrschen,
Doch fürchtet sich, von ihr beherrscht zu scheinen.
Ganz ohne Schwäche ist kein Sterblicher!

(Auf einen Wink von Decimus schreiten die Lictoren, die während des letzten Gesprächs eingetreten sind, bereits zum Portale hinaus. Caesar kommt im Purpurkleid, einen Lorbeerkranz auf dem Haupt, zurück, Calpurnia umklammert halb knieend ihren Gemahl.)

Caesar.

Was soll das? Laß mich los.

Calpurnia (verzweifelt).

Ich lasse Dich
Nicht von der Stelle geh'n!

(Caesar windet sich sanft von ihr los; sie sucht ihn noch an seinem Kleide aufzuhalten, sinkt aber darüber zu Boden.)

Caefar (sich beim Weggehen umsehend).

So faffe Dich!

Ich werde heut nichts Wicht'ges unternehmen.

In einer Stunde bin ich wieder hier.

(Ab mit Decimus und Antonius, der einen Augenblick vorher eingetreten ist.)

Calpurnia (allein).

Sie warfen Cajus Gracchus in die Tiber —

O welche Flüffe werd' ich, welches Meer

Anflehen bald, den Ort mir zu entdecken,

Wo tief am Grund, geschaukelt von der Fluth,

Mein armer Caefar liegt?

(Auf den Knieen, die Arme gen Himmel ausstreckend.)

Erbarmt Euch, Götter!

Dritter Auftritt.

Ein freier Platz vor der Halle des Pompejus. In der Halle, welche den ganzen Hintergrund einnimmt, steht in der Mitte nach hinten die Bildsäule des Pompejus, vorn auf einer kleinen Erhöhung der goldene Stuhl des Caefar. Rechts im Vordergrunde sitzt Brutus auf dem Prätorstuhle, umgeben von Parteien und Zeugen.

Angeklagter.

Der Urtheilsspruch ist, Brutus, ungerecht,

Und ich berufe mich auf Caefar.

Brutus.

Thu's!

Ich habe Deine Sache streng geprüft

Und sie nach altem, guten Recht entschieden.

Mich hindert Caefar nicht, nach den Gesetzen

Das Recht zu sprechen, soll mich niemals hindern.

(Er steigt vom Prätorstuhle, der davorstehende Haufen geht auseinander.)

Cassius (auf Brutus zukommend).

Es dauert lang! Wenn Caesar nicht erscheint —

Brutus.

So ist die Weltgeschichte umzuschreiben!
Doch hoffte Decimus ihn zu bewegen.
Entschuldige, da kommt mein Diener an.

Titus (athemlos).

O Brutus, Porcia ist krank!

Brutus.

Was fehlt ihr?

Titus.

Ich weiß nicht, Herr. Die Brust ist ihr beklommen.
Sie stöhnt und schwebt in Aengsten um Dein Wohl.
Schon dreimal hat sie Boten ausgesandt,
Um zu erfahren, wie es Dir ergehe.

Brutus.

Ich saß ja ruhig auf dem Prätorstuhl.

Titus.

So ward ihr auch berichtet; doch sie fuhr
Bei jeglichem Geräusche wild empor.
Zuletzt vergingen ihr die Sinne, Herr.
Sie liegt am Boden, blaß und ohne Sprache.
Sie ächzet und wir fürchten, theurer Herr,
Daß unsre Herrin stirbt. Komm rasch nach Haus.

Cassius.

Willst Du nach Hause geh'n?

Brutus.

O, Cassius,
Wie kannst Du so geringe von mir denken?
Schickt nach dem Arzte! Nach dem Arzt!

Titus.

Sie stirbt!

5*

Brutus.

Halt uns nicht auf mit Kleinigkeiten. Geh!

Titus.

Wiegt unsrer Herrin Leben denn so leicht?

Brutus.

Jetzt keine Flaumenfeder. Fort mit Dir!

(Titus geht verwundert ab.)

Du wirst Verdacht erwecken, Porcia!
So sind die Frauen! Muthig im Entschluß —
Der Geist des Cato schien aus ihr zu sprechen —
Doch, wenn es auszuführen gilt, verzagt;
Dann bricht die Schwäche des Geschlechtes aus.

(Inzwischen sind viele Senatoren in die sich füllende Halle gegangen.
Mehrere Verschworne haben sich um Brutus gesammelt.)

Cassius.

Da kommt er!

Brutus.

Caesar?

Cassius.

Ja, er kommt!

Mehrere.

Er kommt!

(Aufregung unter den Verschwornen.)

Brutus.

Den Göttern Dank! Das Eine war zu fürchten,
Daß Caesar nicht erschiene, weiter nichts.
Laßt nichts, was ungewöhnlich wäre, blicken,
Was Caesar stutzig machen könnte.

Verschworne.

Nein!

Brutus.

Vergeßt, was Euch bewegt, und geht wie gute
Schauspieler ganz in eure Rolle auf.

Cimber.

Wir fühlen Alles, was Du sagen kannst,
Und Jeder kennt die Rolle, die er heut
Zu spielen hat.

Brutus.

Die schönste in der Welt.

Cassius.

Er wandelt langsam, majestätisch an,
Antonius neben ihm und Decimus.
Antonius ist gefährlich. Dieser wilde
Breitschultrige Geselle, riesenstark —

Brutus.

Du bist, Trebonius, mit ihm vertraut.
Geh, mache Dich an den Antonius,
Verwick'le ihn in ein Gespräch —

Trebonius.

Sehr wohl!

Brutus.

So daß er nicht an Caesars Seite bleibt.

Trebonius.

Er soll nicht in die Halle kommen, Brutus;
Ich bin zur Noth an Kraft ihm auch gewachsen.
Verlasse Dich auf mich. (Geht ab.)

Brutus.

Nun, Freunde, fest!

Vierter Auftritt.

Die Vorigen. Caesar mit Gefolge ohne Antonius.

Caesar (begrüßt die Anwesenden, die sich ehrerbietig verneigen, mit
einer leichten Handbewegung.)

Ich hab' Euch warten lassen, Senatoren.
Ihr wißt es wohl, es ist nicht meine Art.

Je mehr ein Mann zu thun hat, desto mehr
Versteht er auch den Werth der Zeit zu schätzen.
Die Pünktlichkeit ist eine Königstugend.
Ist der Senat vollzählig?

Erster Senator.

Noch nicht ganz.

Zweiter Senator.

Selbst lässig, bist Du pünktlicher, als wir.

Caesar.

Wir wollen sich die Halle füllen lassen.
Wie mild ist heut die Luft! Genießen wir
Noch einen Augenblick des schönen Tags.
Dort steht noch Schnee auf dem Soracte, seht!
Wo bist Du, Decimus?

Brutus.

Ich hol' ihn.

Caesar.

Nein,
Es ist nicht nöthig. Nein! So laß es doch.

(Brutus tritt wieder an ihn heran.)

Ich schüttete mein Herz ihm aus im Geh'n
Und thu' es lieber Dir noch, Freund, als ihm.
Ja, wie ich schon zu Decimus gesagt,
Ich bin ein Feldherr, wenn ich's recht bedenke.
Kein andrer Anblick, der mich so erfreut,
Als aufgestellt, ein Heer, der Ordnung Bild,
Wo Eine Stimme nur, des Feldherrn, gilt.
Und immer war es mir am wohlsten doch
Weit weg von diesen Zungendreschern Roms,
Wo Schlachten auf dem Markt die Bürger sich
Mit Bänken und Stuhlbeinen lieferten.
Nun, diesen Unfug hab' ich abgestellt,
Und ordne nach der Stadt jetzt auch die Welt.

Brutus.

Den Parther = Feldzug, hoff' ich, wirst Du bald
Beenden.

Caesar.

Das ist aber nur der Anfang!
Ich habe, Freund, den Ocean geseh'n,
In den die Sonnenrosse niedersteigen.
Ich will auch jenen schaun, aus dem erfrischt
Des Phöbus Viergespann den Tag heraufbringt.
Dann brech' ich auf mit meinem Siegesheer.
Ich ziehe durch Hyrcanien und weiter,
Bis wo der Caucasus zum Himmel starrt.
Wir übersteigen jene wilden Felsen,
An die Prometheus angeschmiedet ward,
Und überzieh'n der Scythen weite Steppen.
Ich will es besser machen, als Darius:
Ein schwacher Feldherr! Diese Bogenschützen
Sind kaum als Feind zu rechnen. Und wir zieh'n
Aus Scythien zum wald= und sumpfbedeckten
Germanien. Da wohnen edle Feinde,
Der Römer werth, und wenn wir sie besiegt,
Dann kehren durch die Alpen wir zurück
Und halten hier ein siebentägiges
Triumphfest, wie die Welt noch nicht geseh'n;
Denn dann umschließt uns rings der Ocean,
Und uns begrenzen Luft und Wasser nur.

Brutus (bei Seite).

Mir schwindelt! Daß die höchste Weisheit doch
So nah auf Erden an den Wahnsinn grenzt!

Caesar.

Dann schließen wir den Janustempel zu.

Brutus (zu Cassius).

Erob'rer träumen stets vom ew'gen Frieden.

Cassius (zu Brutus).

Wenn sie die Welt erobert haben, ja!

Brutus (zu Cassius).

O menschliche Entwürfe!

Caesar.

Nun, was sagst Du
Zu meinen Plänen?

Brutus.

Mir versagt die Sprache —
Willst Du den Pelion auf den Ossa thürmen?
Du hast genug gethan, um auszuruh'n.

Caesar.

So lang mir etwas übrig bleibt zu thun,
Ist mir es gleich, als hätt' ich nichts gethan.

Brutus.

Noch eine Frage! (bei Seite) Eine letzte Probe!
(laut) Ist's wahr, was heut die Senatoren munkeln,
Daß Du Dich dennoch König nennen willst?
Ich kann's nicht glauben.

Caesar.

Und warum denn nicht?

Brutus.

Du hättest Deinem Brutus das gesagt.

Caesar.

Du bist der Letzte, dem ich's sagen mochte;
Denn sieh, ich schäme mich beinah' vor Dir.
Du wohnst im Aether der Philosophie,
Dir sind das nicht'ge Dinge, weiß ich wohl.
Mir auch. Es ist ja nur der Menge wegen.
Das Volk will einmal immer Zeichen seh'n.

Wozu der Purpurstreifen des Senators?
Wozu der hohe Stuhl aus Elfenbein,
Auf den Du selbst als Prätor steigen mußt?
Gleichgült'ge, eitle Dinge sind das nur
Für Dich und mich. So auch die Königswürde.
Dir sagt' ich nichts, weil Dich es gar nicht angeht;
Denn zwischen uns wird nichts verändert sein.
Jedoch das Volk will einen König haben;
Denn ihm gehorcht es lieber.

Brutus (bei Seite).

                    Ha! Gehorcht!

Caesar.

Du wirst mir sagen, daß ich kinderlos sei
Und also keine Herrschaft gründen könne;
Allein ich setzte meinen Neffen schon,
Octavian, zum Sohn und Erben ein.

Brutus (bei Seite).

Schon erblich also ist die Tyrannei! (ab.)

Caesar.

Sieh, Brutus (Sich umsehend) — Eben war er doch
                    noch hier!
Nun ist es Zeit zur Rathsversammlung. Kommt.
Wo ist Antonius? Doch laßt ihn nur;
Er steht dort mit Trebonius vertieft.
Eröffnen wir die Sitzung, Senatoren!

(Caesar bricht auf.)

Wahrsager.

O Caesar! Caesar! Caesar!

Caesar.

                  Nun, wer ruft?
Ah, der Chaldäer! Bist Du wieder da?
Des Märzes Iden, siehst Du, sind gekommen.

Wahrsager.

Doch nicht vorbei!

Caesar.

Das ist gewißlich wahr.
Der Tag ist vor dem Abend nicht vorbei.
Wahrsagerbrod ist wirklich leicht verdient.

Artemidor (sich herandrängend).

Erhab'ner Caesar!

Caesar.

Was? Ein neuer Bettler?

Lictor.

Fort, aus dem Wege!

Artemidor (eine Schrift in die Höhe haltend).

Caesar, höre mich!
O Caesar, auf ein Wort!

Caesar.

Die lästigen
Bittsucher! Sprich, wer bist Du?

Artemidor.

Großer Caesar,
Artemidor —

Caesar.

Ein Grieche!

Artemidor.

Nah befreundet
Mit vielen Großen.

Caesar.

Eitel sind sie Alle!

Artemidor (seine Schrift überreichend).

Nimm, großer Caesar. Lies! Und lies es gleich!

Caesar.

Wie einen Bissen einem Elephanten
Reichst Du mir Deine Schrift. Was zitterst Du?

Artemidor.

Es ist von Wichtigkeit.

Caesar.

Ja wohl, für Dich!

Artemidor.

Nein, Caesar, für Dich selbst.

Caesar.

Wenn Deine Schrift
Nur mich, mich selbst betrifft, so hat sie Zeit.
Es handelt sich um was?

Artemidor (unruhig auf die Verschwornen blickend).

Ich kann's nicht sagen.

Caesar (sich abwendend).

Ich wollt', ich hätte alle Zeit zurück,
Die ich mit Narren schon verloren habe.
Kommt, Freunde!   (Caesar ab mit Gefolge.)

Lictor.

Du bist lästig.   Fort, Du Narr!

Artemidor.

Ich wollt', ich wär' ein Narr und Caesar weise.
Dies war, o Caesar, höhern Werths für Dich,
Als alles Gold, das im Pactolus rollt!
In diesem Schreiben hatt' ich die Verschwörung
Ihm angezeigt und alle falschen Freunde,
Die schon nach seinem armen Herzen zielen.
Mir ist zu Muth, als bebte schon die Erde.
Bald folgt ein Stoß, daß Rom in allen seinen
Grundvesten wanken wird.

(Er geht ab. Die vordere Bühne hat sich ganz geleert. In der Halle
haben sich die Senatoren gesetzt. In der Mitte auf dem goldenen Stuhle
sitzt Caesar, um den sich die Verschwornen geschaart haben. Vor ihm
kniet Tillius Cimber.)

Tillius Cimber.

Ich bitte Dich
Für meinen armen Bruder, großer Caesar.
Er hat ja der Verbannung bittres Brod
Schon lang gegessen. O verzeih' ihm, Herr!

(Erwartungsvolle Pause.)

Caesar.

Ich hatte Deinem Bruder schon verzieh'n.
Er hat von Neuem gegen mich gefehlt;
Zum zweiten Mal vergeb' ich niemals! Nie!

Tillius Cimber.

Du hast so vielen Andern doch verzieh'n.

Caesar.

Verzeihung ist mein Tagewerk; doch will ich
Heut davon ausruh'n.

Tillius Cimber (dringlicher werdend).

Gnade! Gnade! Gnade!

Brutus.

Vergieb ihm doch!

Cassius.

Wir bitten Dich!

Verschworne.

Wir Alle!

(Die Verschwornen machen sich dicht an Caesar; einige küssen ihm Gewand
und Hände.)

Caesar.

Hofft nicht, daß Ihr mit hündischem Gewedel
Erschüttern meinen festen Willen könnt,
Der wandellos ist, wie ein Götterspruch.
Euch nützen weder Fleh'n noch Schmeichelei'n.

Tillius Cimber.

Nichts als Gewalt! Kommt!

(Er steht auf und zieht Caesar den Mantel von der Schulter.)

Caesar.

Cimber, darfst Du wagen —
Die Dreistigkeit hat heute ihren Tag!

(Casca führt von hinten einen Stoß auf Caesar's Nacken. Caesar wendet
sich um, und hält Casca's Dolch fest.)

Verruchter Casca, was beginnst Du?

Casca (laut rufend).

Helft!

(Alle Verschwornen dringen auf Caesar ein und stoßen in blinder Hast auf
ihn zu. Man hört die Dolche auf einander klirren.)

Caesar (als Marcus Brutus den Dolch auf seine Brust zückt).

Auch Du, mein Brutus?

(Caesar verhüllt sein Haupt in die Toga. Er sinkt, von vielen Wunden
durchbohrt, zu Boden, und fällt auf das Fußgestell der Bildsäule des Pom=
pejus. Schweigen. Alle Senatoren stehen wie erstarrt.)

Cassius (den blutigen Dolch erhebend).

Der Tyrann ist todt!
Frohlocket, all ihr sieben Hügel rings;
Denn der Tyrann ist todt!

Brutus (ebenso).

Und Rom ist frei!

(Alle Verschworne: Freiheit! Freiheit!)

Brutus.

Steht nicht so bleich und stumm da, Senatoren;
Die Freude sollte Eure Wangen röthen.
Die Republik ist wieder hergestellt
Und frei das Vaterland. Frei! Hört Ihr: frei!

Cassius.

Das Meer bei Bajae, fängt es an zu ebben,
So ruft man es mit Worten nicht zurück,
Noch diesen da das Blut auf ihre Wangen.
Sie drängen still sich aus der Halle fort.

Antonius (ankommend).

Ist's wahr, daß Caesar todt ist?

Brutus.

Ja! Da liegt er!
Wer Gleiches thut, der möge Gleiches dulden.

Antonius (zähneknirschend).

Nun ist ein Hündchen, welches bellt und wedelt,
Ja besser dran als Caesar!

(Er macht einen Versuch zu entfliehen, wird aber von den Verschwornen
umringt.)

Cassius.

Halt! Wohin?

Brutus.

Du willst Dich flüchten? Steh, Antonius! Bleib!

Antonius.

Ich weiß, daß ich Euch nicht entrinnen kann,
Und willig streck' ich meinen Hals Euch hin.

(Stellt sich gebückt hin, den Todesstreich erwartend.)

Wer kennt von Euch den Henkerdienst am besten?
Er schlachte den Antonius. Nur zu!

Cassius (sein Schwert ziehend).

Ich will ihn niedermachen!

Brutus (ihn zurückhaltend).

Cassius!

(Beide unterreden sich leise, aber aufgeregt mit einander.)

Antonius (in seiner Stellung verharrend).

Du hast das Schwert gezogen; haue zu!
Mit Caesar wandl' ich gern zum Styx hinab,
Und wenn mich Charon fragt: Die Consuln werden
Ermordet von den Senatoren? sag' ich:
„Das ist die neuste Mode, alter Freund.
Zwei Consuln Roms und Einer davon Caesar,
Kommt Dir nur Einmal vor in tausend Jahren.“

Brutus.

Halt ein mit Deinen wilden Spötterei'n!

Antonius.

Das währt zu lange, um mich so zu halten!
(Er richtet sich auf und betrachtet lauernd Brutus und Cassius, deren
Gespräch eifrig weiter geht.)

Brutus.

Vergißt Du, was wir abgemacht? Es soll
Kein ander Blut vergossen werden, als —

Cassius.

So frage doch Antonius! Er ist ·
Ja selbst der Meinung, daß er sterben muß.

Brutus.

Antonius hat große Eigenschaften.
So wie auf seinem Polster heut beim Schmaus
Nur Dirnen liegen, Mimen, Possenreißer,
Doch morgen ernste, würd'ge Männer, sieh!
So ist sein Herz auch jedes Eindrucks fähig
Und reicher noch an Tugenden, als Lastern.
Auch dieser Baum treibt in der reinen Luft
Der jungen Freiheit edle Sprossen noch.

Cassius.

O Brutus! Brutus!

Brutus.
    Was, mein Lieber?

Cassius.
                Nichts.
Du bist einmal Du selbst.

Brutus.
            Nun, wie wir Alle.

Cassius (das Schwert unzufrieden einsteckend).

So schließen wir denn nur den ersten Act;
Ich hätte gern das ganze Stück beendigt.

Brutus (zu Antonius).

Du sollst am Leben bleiben.

Antonius (bei Seite).

O wie dumm!
Wie rasend dumm!

Cassius.

Was sagst Du da, Antonius?

Antonius.

Daß Ihr sehr gnädig seid, humane Mörder.

(Zu Brutus, halblaut.)

Der mordet mich mit seinen Blicken noch.
Ich will's Dir nie vergessen, Marcus Brutus,
Daß Du dem Schlächter dort Einhalt gethan! (Laut.)
Wenn Ihr mir denn das Leben schenken wollt,
So dank' ich Euch für diese Kleinigkeit:
Viel ist es jetzt nicht werth. — Da Caesar todt ist,
So werden wir ihn wohl bestatten müssen.

Einige aus der Menge.

Werft Caesar in die Tiber!

Andere.

In die Tiber!

Antonius.

An zwanzigtausend Tischen hat Euch Caesar
Gespeist, Euch überschwemmt mit edlen Weinen;
Ihr gönnt, für so viel Wein, ihm Wasser nur?
Ist das der Dank? Doch habt Ihr zu bestimmen.

Brutus.

Nach Caesars Tode wollen wir uns nur
Erinnern an das Große, das er that.

Antonius.

So willst Du uns erlauben, daß wir ihn
Bestatten?

Brutus.

Freilich, und mit jedem Brauch.

Antonius.

Wir dürfen ihn bestatten und vorher
Nach alter Sitte eine Rede halten
Zu seinen Ehren?

Cassius.

Willst Du selber reden?

Antonius.

Man wird's erwarten; war ich doch der Nächste
Als Freund ihm und im Amt.

Cassius (zu Brutus).

Wir dürfen nicht
Antonius die Rede halten lassen.
Er kann das Volk aufwiegeln gegen uns.

Brutus.

Er ist kein großer Redner

Cassius.

Nach der Kunst;
Allein die Rede strömt von seinen Lippen,
Und Caesar ist ein Gegenstand, er könnte
Halbstummen wohl Beredsamkeit verleih'n.
Wie, wenn er gegen uns, die Mörder Caesars,
Die Menge hetzte?

Brutus.

Nein, das darf er nicht. —
Antonius, Du darfst nichts gegen uns
Vorbringen.

Antonius.

Nein!

Brutus.

Noch Caesars Tyrannei
Verringern und entschuldigen.

Antonius.

Nein, nein!

6

Ich will von Euch mit höchster Achtung reden,
Von Caesar nur als Freund von meinem Freund
Und seine guten Eigenschaften loben.

Brutus.

Das werd' ich selbst thun, das ist Freundespflicht.
Kommt, meine Brüder, auf das Capitol,
Den Göttern Dank zu sagen für die That,
Die unter ihrem Schutz vollendet ist.

Volk.

Die Republik! Die Freiheit! Brutus hoch!

Cassius (im Abgehen zu Trebonius).

Trebonius, das ist der zweite Fehler,
Den Brutus heut begeht.

Trebonius.

Der erste war?

Cassius.

Daß er Antonius am Leben ließ. (Die Verschwornen ab.)

Fünfter Auftritt.

Antonius (an der Leiche des Caesar zurückgeblieben).

Holt zur Bestattung jetzt die trefflichste
Geräthschaft aus der Libitina her.

(Einige Lictoren gehen ab, andere beschäftigen sich mit der Leiche des Caesar.)

Antonius (die Wunden betrachtend).

Das Metzgerhandwerk habt Ihr nicht gelernt!
Ein Mann und dreiundzwanzig Wunden — pfui!
Daß Ihr nur Stümper seid, zeigt dieser Leib.
Und wenn sich Caesar hätte warnen lassen
Von seinem besten Freund Antonius,
Ihr hättet ihn so schmählich nicht berückt.

Daß ich an Deiner Seite fehlen mußte,
Mein theurer Caesar! O mein großer Feldherr,
Nimm jetzt das letzte, letzte Lebewohl
Von Deinem treusten Kameraden an.
Ich wußte nicht, daß ich noch weinen konnte!
Und diese Zähren sollen Bürge sein,
Daß ich Dich rächen werde. Ja, ich will
Dein Rächer und Dein Erbe, Caesar, sein!
Ich will ihm zeigen, diesem Tugendprahler,
Und jenem finstern Hasser, Cassius,
Daß ich noch mehr bin, als ein Lustigmacher
Und ernst genug, um ihrer Aller Köpfe
Als Todtenopfer Caesar darzubringen.
Bahrt jetzt ihn auf, den schönen, edlen Leib,
Das würdige Gehäuse seines Geistes.

(Die abgeschickten Lictoren sind inzwischen mit einer prächtigen Bahre
und anderem Leichengeräth zurückgekehrt. Caesars Leib wird auf die Bahre
gehoben.)

Nun, todter Caesar, sollst Du noch einmal,
Du großer Sieger, einen Sieg erfechten.

Lictoren.
Wohin, o Consul, tragen wir die Leiche?

Antonius.
Brecht auf zum Marsfeld, dort die Ehrenrede
Zu halten und die Leiche zu verbrennen.

Erster Lictor.
Der Drang des Volkes wird für uns zu groß.

Zweiter Lictor.
Wir können diese Menge nicht zertheilen.

Antonius.
So setzt die Leiche nieder. Jeder Ort
Ist würdig, Caesars Ehren zu vernehmen. —
Quiriten!

Volk.
Höret den Antonius!

Antonius.

Mitbürger! Caesars Mörder gaben mir
Erlaubniß seine Leiche zu bestatten,
Und auch ein letztes Wort ihm nachzurufen
Ist gnädig mir von unsern Herrn erlaubt;
Denn sie, die Mörder, haben ja die Macht
Und herrschen nach Gefallen in der Stadt.
Man soll sie nicht verklagen, haben sie
Geboten, und Ihr seht, ich thu' es nicht,
Ich beuge mich vor ihrem Willen so:
(Er beugt sich fast bis zur Erde.)
Als Caesar einst in's Meer gefallen war
Und mit den Wellen kämpfte, sah'n die Feinde,
Auf ihren Speer gelehnt, ihm ruhig zu;
Denn Keiner war, der ihn zu tödten wagte;
Es schien, als wär' er göttlichen Geschlechts.
Ihn haben jetzt in seiner eignen Stadt
Die Bürger wie ein Opferthier erstochen,
Und, wenig fehlte, in den Fluß geworfen,
Der allen Unrath aus der Stadt hinwegschwemmt.
So starb er, den wir Vater oft genannt,
Durch eine Bande — Ha, ich sagte doch
Nichts gegen Brutus oder Cassius
Und alle ihre Mitverschwornen? Nein!
Bezeugt es mir, ich habe nichts gesagt,
Als was der Augenschein von selbst ergiebt,
Daß Caesar todt ist und durch wessen Hand.
Hier steh ich also jetzt, den Mann zu rühmen,
Ein wenig, wie es denn die Sitte will,
Und wie's der Anstand fordert, doch mit Maaß,

So daß es seine Mörder nicht verdrießt.
Er hat die Grenzen unsres Reichs gesteckt,
Wo der Besitz aufhört, erwünscht zu sein;
Doch wollt' ich Euch von seinen Thaten reden,
Wo fing ich an, wo hört' ich auf damit?
Laßt mich von dem nur reden, was er noch
Thun wollte, als die Mörderhand ihn traf.
Die Tiber wollt' er leiten um die Stadt,
Daß Ihr vor Ueberschwemmung sicher seid,
Und bei Circeji unser Fluß in's Meer fällt.
Dort wollt' er einen großen Hafen bau'n,
Der aller Länder Flotten fassen kann,
So daß das Horn des Ueberflusses sich
Stets über diese ew'ge Stadt ergieße.
Mit hohen Dämmen schützt' er unsre Küsten
Und trocknete die großen Sümpfe aus;
Das klarste Wasser wollt' er vom Gebirg
Auf hohen Bogen leiten in die Stadt,
Auf allen Plätzen sollten Brunnen sprudeln,
Mit Quadern wollt' er Euch die Straßen pflastern,
Und was für Euch sein Geist, dem nichts zu groß
Und nichts zu klein war, sonst sich ausgedacht.

Volk.
Ja, Caesar gab uns Arbeit und Verdienst.

Antonius.
Verdienst? das hört jetzt auf. Ihr werdet nun
Das Hungern lernen müssen, guten Freunde.
Die Pläne Caesars auszuführen, war nur
Er selbst im Stande. Alles bleibt nun liegen,
Geräth in's Stocken, in Vergessenheit.
Die Spenden hören auf von Korn und Wein.
Wer hat vom Geizhals Cassius schon einen

Denar erhalten? Wer vom Brutus etwas,
Als weise Lehren? Statt des Adlers haben
Wir kleines Raubgevögel, Raben, Dohlen!

Volk.

Fort mit dem Brutus! Weg mit Cassius!

Antonius.

Ja, er ist nun gefallen, unser großer
Wohlthäter, dessen Seele Großmuth war.
Das werden seine blutbespritzten Mörder
Erfahren jetzt nach seinem Tode noch.
Kennt Ihr sein Testament?

Volk.

Sein Testament?
Nein! Nein!

Antonius.

Er war zum Sterben stets bereit
Wie alle großen Männer, hatte längst
Auch seinen letzten Willen aufgesetzt
Und mir zu treuen Händen übergeben.
Er liegt in meinem Hause, wohlverwahrt.
In diesem Testamente hat er, hört!
Den Marcus Brutus und den Decimus
Und andre seiner Mörder eingesetzt
Zu seinen Erben, oder reich bedacht:
Sie dankten ihm mit hochgeschwungnem Dolch!
Seht diesen Purpurmantel, ganz befleckt
Von Caesars edlem Blute und durchbohrt
Von den verfluchten Dolchen.

Volk.

Schmach und Schande!

Antonius.

Ihr schluchzet, wenn Ihr nur den Mantel seht?

Seht hier den edlen Todten! Seht ihn selbst!
Die Leiche Hektor's ward um Ilium
Dreimal geschleift, doch nicht so arg geschändet
Wie dieser arme Julius Caesar. Seht ihn
Zerfleischt, zersetzt von dreiundzwanzig Wunden,
Und jede ruft mit ihrer rothen Zunge:
„Rächt mich an meinen Mördern!" Sollen sie
In unsrer Mitte weilen? Sollen sie
In den Senat geh'n —

Volk.

Nieder mit den Mördern!

Antonius.

Ja, nieder, sag' ich, mit den Meuchelmördern!
Mit den verruchten Bösewichtern! Ha!
Sie haben mir verboten, sie zu tadeln;
Doch ich gehorche ihnen länger nicht.
Ich beuge mich nicht mehr, ich stehe so:

(Er reckt sich empor.)

Laut fluch' ich ihrer That und ihnen selbst!
Sie mögen mich erwürgen wie den Caesar.
Ich weigere mich nicht, mit ihm ein treuer
Achates in den Tod zu geh'n und rufe
Noch sterbend mit Euch Allen: „Nieder, nieder
Mit Cassius und Brutus! Seid verflucht!"

Volk.

Verflucht! Zerreißt die Mörder!

Antonius.

Rennt Ihr fort
Den Mördern den verdienten Lohn zu geben?
Nein, bleibt noch hier, noch einen Augenblick!
Ihr kennt den Abgrund seiner Güte nicht.
Hört, Römer! Hört, was Caesar Euch vermacht!

Als Vater hat er Euch geliebt und setzt
Als seine Kinder Euch zu Erben ein.
Ja, also steht in seinem Testament:
„An jeden Bürger Roms vermache ich,
Mit väterlichem Herzen, Mann für Mann,
Dreihundert — Jedem Einzelnen Dreihundert —
Sesterze." — Seht, sie konnten ihn nicht hindern
Zu sterben wie ein König wenigstens!
Und alle seine Gärten vor der Stadt
Jenseit der Tiber hat er Euch vermacht,
Daß Ihr Euch dort mit Weib und Kind ergötzt.

Volk (die Sätze sind unter einzelne Stimmen zu vertheilen).

Schlagt alle Mörder todt, verbrennt die Häuser
Und Alles sonst, was ihnen angehört!
Holt Tisch' und Bänke aus dem Saal heraus,
Wo die Verschwornen saßen! Häuft sie auf
Gleich einem Scheiterhaufen um die Leiche!
Auf! Angezündet! Angezündet!

(Der Scheiterhaufen wird mit Fackeln in Brand gesteckt).

Schön!
Nun reißt Euch Scheite aus dem Brand heraus
Und zündet der Verschwornen Häuser an.

Einige.

Auf die Verschwornen!

Andere.

Mordet! Sengt und brennt!

(Das Volk zieht rechts und links mit Feuerbränden ab.)

Antonius (tritt in den Vordergrund, blickt stumm nach beiden Seiten
und bricht in grimmiges Lachen aus).

Ist das nicht zündende Beredsamkeit?

Vierter Aufzug.

Erster Auftritt.

Auf dem römischen Forum.

Bürger im Gespräch.

Erster Bürger.

Ja, Cassius und Brutus sind gefloh'n
Und alle ihre Mitverschworenen.
Sie hielten ihre blut'gen Schwerter hoch
Und ritten aus den Thoren Roms wie toll.

Zweiter Bürger.

Ist das gewiß?

Erster Bürger.

   Ich hab' es selbst geseh'n.
Nun herrscht Antonius, der Consul, hier
Mit Lepidus, dem Reiterobersten
Des vorigen Dictators Caesar, grade
Wie Caesar weiland mit Antonius.
Es ist, als wären Beide aufgerückt.

Zweiter Bürger.

Was wird denn aus der jungen Freiheit werden?

Erster Bürger.

Es hat sich was mit Freiheit! Redensarten!
Ja: „Der Tyrann ist todt", sagt Cassius,

Und Brutus: „Rom ist frei!" „Ihr könnt nun wieder,
Spricht Casca, auf den Markt, Ihr Bürger, geh'n
Und Eure Stimm' abgeben, wie Ihr wollt."
Sagt aber, hat von seinem Stimmen Einer
Schon jemals was gehabt?

Dritter Bürger.
Ja, ich.

Erster Bürger.
Was denn?

Dritter Bürger.
'ne tüchtige Tracht Prügel! (Gelächter.)

Erster Bürger.
Ja, so ist's!
Man wird zum Stimmen gar nicht durchgelassen,
Man wird vorher mit Knüppeln todt geschlagen,
Will man nicht stimmen, wie's befohlen ist.

Zweiter Bürger.
Ja wohl, was wir anständ'gen Bürger sind,
Was will denn unser Stimmen noch besagen?
Die Stimmen werden heut zu Tage ja
Bei offner Geldbank auf dem Markt verkauft
Schockweis wie Eier, Fische, Kälber, Schafe —
Man muß sich schämen unter all' dem Stimmvieh —

Erster Bürger.
Still! Halt das Maul! Da kommt Antonius.
Der ist der größte Händler in dem Vieh
Und hat die Republik in seiner Tasche. (Bürger ab.)

Zweiter Auftritt.

Antonius und **Lepidus** treten auf.

Antonius.

Nun, wie gefall' ich Dir, Lepidulus?
Seh ich ein wenig nicht wie Caesar aus?

Lepidus.

Ja, und in Großmuth übertrifffst Du ihn;
Die Schätze Caesars halten kaum noch vor.

Antonius.

Man muß das Volk von Rom gehörig füttern
Mit Brod und Spielen, Lepidissimus!

Lepidus.

Das Meiste kosten Dir die Phrynen doch
Und die Lucretien, die sich nicht erstechen,
Die Tänzerinnen und was sonst sich innt,
Die Sängerinnen, Flötenspielerinnen —

Antonius.

Der ganze Schatz der Ops wird nächstens flöten
Gegangen sein! Ja freilich hast Du Recht,
Das Innen und das Minnen ruinirt mich.
Es ist ein himmlisches Vergnügen, aber
Es kostet höllisch. Doch was schadet das,
Wenn man die ganze Welt wie einen Schwamm
In seiner Hand hält, um ihn auszupressen?
Gesteh' es, Freund, wir Beide führen doch
Ein recht bequemes Leben jetzt in Rom?

Lepidus.

Ich stehe jetzt zu Dir, wie Du, Antonius,
Zu Caesar standest.

Antonius.

Ja, das thust Du auch.

Du könnteſt eine Elle höher ſein —
Je nun, Du biſt Antonius der Kleine,
Klein, aber niedlich, Lepidusculus.

Lepidus.

Du ſpielſt mit meinem Namen, wie die Katze
Mit der Maus.

Antonius.

Aus Zärtlichkeit! Aus Zärtlichkeit!
Ich ſage, leben wir nicht recht bequem?
Die Luft iſt rein von den Verſchwornen.

Lepidus.

Ja,
Sie haben ſich in alle Welt zerſtreut,
Als wären ſie vom Fluch der That verfolgt.

Antonius.

Sie rühmten ſich, daß ſie den ganzen Erdkreis
Empören wollten gegen uns; allein
Ich habe mich zu fürchten aufgehört.
Es zeigte ſich, ſie hatten Muth wie Männer,
Doch einen Plan wie Knaben — keinen Plan!

Lepidus.

Was dachten ſie ſich denn, als ſie den Caeſar
Ermordeten?

Antonius.

Das ſei genug, die Narren!
Iſt der Tyrann erſt todt, ſo dachten ſie,
Dann lebt die Republik von ſelber auf.
Die Republik iſt aber längſt begraben,
Sie iſt im Grab verweſ't, ſie ſtinkt bereits.
Wir können ruhig ſein, wir haben hier uns
Mit Caeſars Schätzen leidlich eingerichtet.

Lepidus.

Wenn nicht der junge Neffe Caesars noch
Uns Späne machen wird, Octavian.
Er spricht die Schätze Caesars an für sich.
Er sagt, er sei zum Erben eingesetzt,
Sogar als Sohn von Caesar angenommen —

Antonius.

Wo steht denn Alles das?

Lepidus.

Im Testament.

Antonius.

Nun gut, ich habe dieses Testament;
Die beste Erbschaft ist das Testament.

Lepidus.

Es war ein Meisterstreich, daß der Senat
Provinzen zwar vergab an Caesars Mörder,
Doch auch bestimmte und verordnete,
Was Caesar angeordnet habe, Alles,
Sei's lebend oder erst im letzten Willen,
Es solle heilig sein und auszuführen,
Sein ganzes Testament.

Antonius.

Das Niemand kennt!

Lepidus.

Das hast Du durchgesetzt: ein Meisterstück!

Antonius.

So lebt in mir der große Caesar fort,
Und ich verordne nun an seiner Statt:
Das Bürgerrecht an die Sicilier,
Abgabenfreiheit für die faulen Creter;
Denn also, sag' ich, steht's im Testament.

Gefangne laß ich frei, Verbannte ruf' ich
Zurück.

Lepidus.

Doch nicht umsonst.

Antonius.

Nun, das versteht sich!
Für Nichts wird Nichts gegeben! ist in Rom
Das einzige Gesetz noch, das man hält.

Lepidus.

Du würdest reicher bald als Crösus werden,
Wenn Du auf Reichthum hieltest.

Antonius.

Reichthum? Pah!
Des Gold's bedien' ich mich wie Wasser nur;
Man wäscht sich drin und gießt es wieder aus.

Lepidus.

Schon gut; es wird nur etwas störend sein,
Daß sich Octavian die Schätze fordert,
Die Du wie Wasser ausgegossen hast.
Er ist schon auf dem Weg von Griechenland.

Antonius.

Was fällt dem Jungen ein? Er wurde ja
Nach Griechenland geschickt, um zu studiren.
Er lernte grade griechische Vokabeln,
Als er vom Tode seines Oheims hörte.
Was will denn sein Hofmeister, daß er so
Hals über Kopf mit seinem Knaben einpackt?
Was hat der schmucke Junge hier zu thun?

Lepidus.

Octavianus ist kein Knabe mehr.

Antonius.

Kaum zwanzig Jahre.

Lepidus.

Dieser Jüngling, sagt man,
Ist seinen Jahren weit vorausgeeilt,
Und was er will, das hat er ja gesagt —
Zur Rechenschaft Dich ziehn.

Antonius.

So? Will er das?
Hat ihn sein Pädagoge nicht gezogen,
Werd' ich ihm noch die Ruthe geben.

Lepidus.

Hm!
Er ist schon in Brundisium gelandet.

Antonius.

So sagt man!

Lepidus.

Es ist sicher und gewiß.
Und eben hab' ich Weiteres gehört.
Kaum ausgestiegen in Brundisium,
Das Mittagsmahl verschmähend, eilt' er weiter
Nach Casilinum und Calatia —

Antonius.

Wo meine beiden Legionen steh'n?

Lepidus.

Ja wohl; Du nennst sie Deine Legionen,
Doch hast Du ihnen ihren Sold gezahlt?

Antonius.

So viel ich hatte, meiner Treu! Ich hatte
Die Hände mir gerade stark gewaschen.

Lepidus.

Octavian hat reichlicher gespendet
Und, wie ich höre, sie gewonnen.

Antonius.

Wen?

Lepidus.

Die Legionen!

Antonius.

Beide Legionen?

Lepidus.

Die beiden Legionen, allerdings.

Antonius.

Ist das auch ganz gewiß? Du bist ein Mensch
Von einer schrecklichen Gewißheit.

Lepidus.

Nein,

Nur ein Gerücht.

Antonius.

Es wird gewiß ein falsches,
Böswilliges Gerücht sein. (Antonius wird ein Brief gebracht.)

Lepidus.

Hoffen wir's;
So unwahrscheinlich klingt es eben nicht.

Antonius.

Wir werden die Gewißheit bald erfahren.
Hier ist ein Brief von einem Freunde und
Clienten, Cnejus Rufus aus Pompeji —
Ein Kriegstribun. Er steht in Casilinum
Bei der Legion des Mars und schreibt mir so:
„Mein Freund —" Mein Freund! Mein Freund!

Er pflegte sonst
Ein wenig unterwürfiger zu schreiben.
Umstände macht er jetzt mit mir nicht mehr.
„Du wirst es mir nicht übel nehmen" — Ja,
Das werd' ich, ohne noch zu wissen, was.
„Du wirst mir nicht verdenken" — lauter Flausen!
(Liest für sich weiter.)
So, so! Verwünscht! Verdammt! Hol' ihn der Henker!

Der Egel hatt' an mir sich vollgesogen;
Jetzt hängt das kleine Thier sich an den Caesar;
Denn also nennt er stets das Bübchen: „Caesar!"
„Wir folgen meinem Briefe auf dem Fuß!"
Wie viele Truppen haben wir in Rom?

Lepidus.

Hier in der Stadt?

Antonius.

Ja, innerhalb der Mauern.

Lepidus.

Nur wenige Cohorten, nicht genug
Dem Heer Octavians zu widersteh'n.

Antonius.

Da wird es an der Zeit sein, Lepidus,
Daß wir das Weite suchen. Meinst Du nicht?

Lepidus.

Es würde freilich hier verdrießliche
Erörterungen geben, wenn Du nicht
Die Schätze Caesars ihm erstatten willst.

Antonius.

Erstatten! Caesars Schätze! Du bist sonst
Ein kluger Mann, doch davon nur zu reden!
Wo nehm' ich's her? Das heißt den Meersand pflügen
Und Böcke melken.

Lepidus.

Willst und kannst Du ihm
Die Schätze nicht ersetzen, mußt Du flieh'n.

Antonius.

Apollo könnte mir nicht besser rathen!
Ich muß entweder zahlen oder flieh'n,
Und zahlen will ich nicht und kann ich nicht;

7

Drum müssen wir entflieh'n. Du wirst mich nicht
Im Stiche lassen, Lepidus?

Lepidus.

O nein!

Antonius.

Drum sag' ich Wir, denn ich und Du sind Eins.
Wir suchen unsre Truppen auf, wir haben
Ganz nahebei fünf Legionen steh'n —

Lepidus.

Die Legionen, Freund, gehören mir.

Antonius.

Gewiß, doch ich und Du sind immer eins.
Ich hab' auch selber Truppen, weißt Du wohl;
Nur etwas weit von hier, in Gallien.
Wir wollen diesem jungen kleinen Caesar,
Der aus dem Nest fiel, eh' er flügge war,
Die Flügel stutzen. Unsre Scharte soll
Bald ausgewetzt sein; doch die Schande, Freund,
Wer nimmt mir Die ab? O, ich war zu sorglos!
Unvorbereitet, hülflos steh' ich da,
Von einem Milchbart ward ich überholt!
Vertrieben und verjagt von einem Knaben!

(sich vor die Stirn schlagend)

Ich schäme mich vor Dir und aller Welt.
Ich darf dem Glücke nicht im Schooße sitzen;
Doch, wenn ich wieder Wurzeln essen muß
Und faules Wasser trinken, und dem Heer
Ein Beispiel geben, ja, da bin ich wieder
Der Mann, der mitten durch die Feinde brach
Und Caesar rettete und Caesars Heer.
Ich habe Wochen ungenützt vergeudet,
Nun heißt es mit Minuten geizen. Komm!

(Beide wollen abgehen, Calpurnia tritt ihnen entgegen.)

Calpurnia.

Antonius!

Antonius.

Was willst Du, hochverehrte
Gemahlin meines königlichen Freund's?

Calpurnia.

Du weißt, daß meine ausgeweinten Augen
Nur Eins noch zu erblicken wünschen.

Antonius.

Ja!
Die Strafe seiner Mörder, Caesars Mörder.

Calpurnia.

So kannst Du, theurer Freund, es denn ermessen,
Wie mich es schmerzen und empören muß,
Daß Octavian, mein Neffe, den ich jetzt
Nach Caesars Willen Sohn ja heißen soll,
Zu unsern Feinden sich geschlagen hat.
So muß ich wohl es nennen; denn er hat
Die Legionen, die er sich erkauft,
Auf den Senat und auf die neuen Consuln,
Auf Hirtius und Pansa schwören lassen.

Antonius.

Das sind ja Cicero's Genossen!

Calpurnia.

Freilich,
Und Cicero ist naher Freund des Brutus
Und preis't mit allen seinen Rednerkünsten,
Was an des Märzen Iden sich begab.

Antonius.

Was konnte Deinen Neffen denn bewegen
Mit unsern Feinden sich zu einigen?

7*

Calpurnia.

Die Feindschaft, o Antonius, mit Dir;
Denn Du enthältst ihm Caesars Erbschaft vor.

Antonius.

Ja, ja, die Erbschaft war ein fetter Bissen,
(sich den Magen haltend.)
Doch nun auch diese Unverdaulichkeit!

Calpurnia.

Kannst Du noch scherzen?

Antonius.

Nun, um ernst zu reden,
So ist es hohe Zeit aus Rom zu flieh'n.

Calpurnia.

Ich hoffe nicht, daß meine nächsten Freunde
Mit Waffen sich bekämpfen werden. Nein,
Ich hoff' Euch auszusöhnen. Bleibe hier.

Antonius.

Wenn ich mit einem Feind verhandeln will,
So darf ich nicht in seinen Händen sein!
(Drückt Calpurnia die Hand und entfernt sich eilig mit Lepidus.)

. . . .

Dritter Auftritt.

Calpurnia.

Statt eines Sohnes solch ein Neffe! Ach!
Er naht, und aus der Höhle ihres Hauses,
In der sie sich versteckt hielt, tritt auch schon
Das Weib des Brutus wieder an das Licht.
(Porcia tritt auf.)
Du gehst in Trauerkleidern, Porcia;

Wohl ist es mein Gebet bei Tag und Nacht
In solchen dunkeln Kleidern Dich zu seh'n.
Allein Dein Gatte lebt noch, unbestraft.

Porcia.

Er lebt noch, aber fern von Rom und mir,
Und die Verbannung ist dem Tode gleich.

Calpurnia.

Was hast Du auf dem Forum hier zu thun?

Porcia.

Die Frage geb' ich Dir zurück.

Calpurnia.
                        Ich komme,
Um meinen lieben Neffen zu empfangen,
Octavian, als Sohn ihn zu begrüßen.

Porcia.

Zu diesem Zwecke fand auch ich mich ein.
Ich will Octavian begrüßen.

Calpurnia.
            Du?
Als wen empfängst Du ihn?

Porcia.
            Als Brutus Freund.

Calpurnia.

Du hoffest meinen Neffen zu gewinnen?

Porcia.

Ich hoffe, daß er schon gewonnen ist.
Schon hat er sich vereinigt mit dem Heer,
Das unsre neuen Consuln ausgehoben,
Und im Gewaltmarsch eilen sie auf Rom.

Calpurnia,

Antonius zu überraschen?

Porcia.

Ja.

Calpurnia.

Er hat sich nur nicht überraschen lassen.

Porcia.

Er hat sich noch zu rechter Zeit entfernt;
Doch alle Welt ist seines Treibens satt,
Und Caesars Freunde haben ausregiert.

Calpurnia.

O wär' Antonius meinem Rath gefolgt!
Allein er hat für Brutus eine Schwäche,
Die selbst auf dessen Gattin sich erstreckt.

Porcia.

Und welchen Rathschlag hast Du ihm ertheilt?

Calpurnia.

Er solle Dich verhaften.

Porcia.

Mich! Warum?

Calpurnia.

Du sprichst für Brutus und Du wirbst für Brutus,
Verkaufest Deinen Schmuck, um Reisegeld
Nach Asien den Freunden zu verschaffen,
Du meldest Brutus Alles was geschieht,
Spähst Alles aus —

Porcia.

Du kannst es kürzer sagen:
Ich bin des Marcus Brutus treues Weib.
Was will ich denn? Ich möcht' an meiner Seite
Nur meinen theuren Gatten wiederseh'n
Und jenen traurigen Bürgerkrieg verhüten,
Der seit dem Tode Caesars wie der große
Komet an unserm Himmel dräuend steht.

Ich bot Euch einen billigen Vergleich
In Brutus Namen an, den Ihr verschmähet;
Doch damals wart Ihr noch im Glücke; jetzt
Hat Euch vielleicht das Mißgeschick erweicht.

Calpurnia.

Ich würde Caesars Asche treulos sein,
Wollt' ich mit seinen Mördern unterhandeln!
Ja, stehe nur sanft und gelassen da,
Wie Brutus pflegte, und mit sanftem Lächeln,
Ich zweifle nicht daran, wird er den Dolch
Gestoßen haben in das Vaterherz.

Porcia.

Vor jedem Andern unternehm' ich es
Den Tod des Caesars als gerecht zu zeigen,
Nur nicht vor Dir. Wer könnte Dich erblicken,
Und wäre mitleidsvoll nicht tief bewegt?
Wie bist Du seit dem schweren Tag gealtert!
Wie scharf und ausgezehrt sind Deine Züge,
Die Augen eingesunken, geisterhaft,
Du scheinst beinah der Unterwelt entstiegen,
Und so erwidr' ich Deinen Worten nichts.
Doch laß Dich nicht allein vom Haß berathen.
Der Haß ist eine Bürde, wirf sie ab!
Du warst ja immer freundlich gegen mich —

Calpurnia.

Ich zeigte Dir stets jene Höflichkeit,
An der Du mir es manchmal fehlen ließest.

Porcia.

Wann hätt' ich Dir die Achtung nicht bewiesen,
Wie jeder andern edlen Römerin?

Calpurnia.

Wie jeder Andern! Doch daß Caesars Gattin

Ein wenig mehr vielleicht erwarten durfte,
Als jede Andere, das haſt Du nie
Begriffen, nie begreifen wollen.

Porcia.

Nein.

Calpurnia.

Geſteh' es mir, Du haſt mich nie geliebt.

Porcia.

Ich hegte ſtets doch Mitgefühl für Dich.

Calpurnia.

So! War ich denn nicht glücklich?

Porcia.

Nein, nicht ganz.
Warum behingſt Du Dich mit all dem Schmuck?
Weil Dir der ſchönſte Schmuck, die Kinder, fehlten.

Calpurnia.

Du ſuchteſt anders Dich hervorzuthun.

Porcia.

Woburch?

Calpurnia.

Durch prahleriſche Einfachheit.
Das Kleid, das Band, das Dir genügt zum Kopfputz —
Ich ſchenkte ſie kaum meiner Dienerin!
Und ſelbſt Dein ſchlichtes rundes Angeſicht
Mit ſeinem undurchbohrten kleinen Ohr
Scheint jede Auszeichnung verſchmäh'n zu wollen.
Du willſt von mir abſtechen, Porcia.

Porcia.

Ich habe wahrlich nicht an Dich gedacht,
Wenn ich das Haar mir einfach ſcheitelte;
Ich bin es ſo gewohnt von Jugend auf —

Calpurnia.

Du willst von mir abstechen, läugn' es nicht!
Du bist so vornehm, von so hoher Abkunft,
Daß Du Dich gar nicht aufzuschmücken brauchst.
Ich habe Deine Meinung wohl gemerkt.
Der Frauen schärfste Richter sind die Frau'n;
Denn jede kann die andere durchschau'n.

Porcia.

Ich konnte auch in Deiner Seele lesen.
Wie that mir Caesar leid! Sein Geist war stets
Gespannt. Wie hätt' es ihm so wohl gethan,
Sich ruhig geh'n zu lassen bei den Seinen!
Doch seine Gattin gönnt' ihm keine Ruhe;
Der Oede ihres Hauses eingedenk
Drang sie in alle Staatsgeschäfte ein
Und trieb ihn an zu immer neuen —

Calpurnia.

Ha!
Ich hab' im Kleide keinen Dolch versteckt
Wie Brutus, sonst durchbohrt' ich jetzt Dich gern.

Porcia.

Ich ging zu weit. Ich habe mich zu sehr
Hinreißen lassen und bereu' es schon.
Ein großes Unglück soll uns heilig sein.
Verzeihe mir und laß Dich einmal noch
Von Herzen bitten um Versöhnlichkeit.
Wir Frauen sind zum Friedestiften da.
Wir müssen sein wie die Sabinerinnen.
Als ihre Väter, ihre Brüder kämpften
Mit ihren Gatten, eilten sie herbei
Und stürzten jammernd sich in ihre Reih'n
Und riefen flehend: „Frieden und Versöhnung!"

Calpurnia.

Versöhnung? Nein!

Porcia.

Wenn ein Medusenhaupt
Den Mund zum Reden öffnen könnte, würd' es
Ein solches Nein ausstoßen. Arme Frau!

Calpurnia.

Spar' auf Dein Mitleid! Spar' es auf für Dich!

Porcia.

Wenn Nattern sich um Deine Stirne wänden,
So glichst Du einer Rachegöttin.

Calpurnia.

Wohl!
Ja, eine Rachegöttin will ich sein!
Was jubelt da das Volk? Die Tuba schallt,
Dazwischen tönt der helle Lituus —

Porcia.

Das ist der Siegerschritt der Legionen!
Octavianus ziehet ein in Rom.

Calpurnia.

Und ich bin seine Mutter! Fürchte Dich!

Porcia.

Da kommt er zwischen Hirtius und Pansa,
Den neuen Consuln, Brutus besten Freunden.
Wir werden sehen, wer das Feld behält.

Vierter Auftritt.

Die Vorigen. Ein näherkommender Marsch wird gespielt. **Octavianus**
erscheint zwischen den Consuln **Hirtius** und **Pansa**, gefolgt von Soldaten.

Octavianus (auf Calpurnia zueilend).

O meine Mutter!

Calpurnia.

Kann ich Sohn Dich nennen,
Eh' Du mir heilig zugeschworen hast
Die Mörder Deines Vaters zu bestrafen?
Was zögerst Du? Was blickst Du Dich nach Pansa
Und Hirtius um?

Octavianus.

Es sind die Consuln Roms,
Und neue Eide kann ich jetzt nicht schwören,
Da wir schon Schwüre ausgewechselt haben:
Rom zu befreien von Antonius.

Porcia.

Octavianus, habe Dank!

Octavianus.

Wofür?

Porcia.

Daß Du Antonius vertrieben hast.

Octavianus.

Ich hab' ihn nicht vertrieben; wenn er floh,
Verjagt' ihn nur die Furcht vor Rechenschaft.

Porcia.

Gleichviel, so ist er doch vor Dir gewichen,
So wie die Nacht weicht vor dem Morgenroth.
Ein Jüngling edler Hoffnung bist Du jetzt
Verbündet mit den besten Männern Roms.

Calpurnia.

Mit Brutus?

Porcia (zu Octavianus).

Weil Du Caesar liebteſt, brauchſt Du
Nicht meinen Mann zu haſſen.

Calpurnia.

Denn er iſt
Unſchuldig wie ein Kind an Caeſars Tod!

Porcia (zu Octavianus).

Wenn Du auch ſeine That nicht billigeſt,
Wirſt Du doch ſeine Gründe achten lernen.
Laß mich nur Eines ſagen: Brutus hat
Schon tauſendmal in ſeinem ſchönen Leben
Die Wünſche ſeines Herzens aufgeopfert
Dem Ruf und dem Gebot der ſtrengen Pflicht;
Doch niemals ward ein Opfer ihm ſo ſchwer.
Ich danke Dir noch einmal und ich gehe
Dem Brutus gleich zu ſchreiben; denn es iſt
Die erſte frohe Botſchaft ihm aus Rom.
Die Götter mögen Eure Waffen ſegnen!   (ab.)

Fünfter Auftritt.

Calpurnia. Octavianus.

Calpurnia.

Mit ihrem Segen willſt Du in die Schlacht zieh'n?

Octavianus.

Kann ich denn anders handeln? Sag' es ſelbſt.

Calpurnia.

Mit Caesars Mördern willst Du Dich verbinden?

Octavianus.

Mit meines Feindes Feinden, allerdings.

Calpurnia.

Antonius ist Dein Feind jetzt, geb' ich zu;
Doch war er stets des Caesar treuster Freund,
Im Leben einst, und nach dem Tode noch;
Denn dessen Mörder trieb er aus der Stadt.
Sieh auf die Männer, nicht auf Dies und Das!
Du bist zu jung, um Caesar nachzufolgen
Auf nichts, als Deine eigne Kraft gestützt;
Er bringt Dir Alter und Erfahrung zu —

Octavianus.

Doch er enthält mir Caesars Erbschaft vor.

Calpurnia.

Verbünde Dich mit ihm, bald wird die Welt
Mit allen ihren Gütern Euch gehören.
Die Welt ist groß genug, um sie zu theilen.

Octavianus.

Du wirfst mir einen Funken in die Seele,
Und wenn ich meiner Neigung folgen wollte,
So würd' ich nicht mit Caesars Mördern geh'n.

Calpurnia.

Als Porcia die That des Brutus pries,
Empfandest Du es nicht als Kränkung?

Octavianus.

Ja.

Calpurnia.

Doch schienst es ganz gelassen aufzunehmen.

Octavianus.

So muß man jegliche Beleidigung
Aufnehmen, bis man sie bestrafen kann.

Calpurnia.

O Neffe, Sohn, ich seh' es wohl, in Dir
Lebt Caesars Herrschergeist von Neuem auf.
Wer herrschen will, muß sich verstellen können.

Octavianus.

Noch bin ich ja an Hand und Fuß gebunden;
Denn meine alten Krieger haben schon
Wie ich dem römischen Senat geschworen;
Die Consuln hoben große Mannschaft aus;
Ich muß die Fuchshaut näh'n an's Löwenfell.
Die Dinge unterwerfen uns sich nicht;
Man muß sich selbst den Dingen unterwerfen,
Wenn man zuletzt den Meister spielen will.

Calpurnia.

So jung und schon so reif!

Octavianus.

　　　　　Das Leben nimmt
Uns besser in die Schule als Athen.

Calpurnia.

Sobald Du aber frei bist, mußt Du Dich
Aussöhnen, Neffe, mit Antonius.

Octavianus.

Er ist mein Feind, und ob es sich verlohnt
Ihn mir zum Freund zu machen, diesen Schlemmer
Und Würfelspieler?

Calpurnia.

　　　　　Weißt Du, was von ihm
Ein Menschenkenner sagte, Caesar selbst?
„Wenn man die Fehler des Antonius
Verbrennen könnte auf des Oeta Höhn,
So blieb' ein Halbgott nach!"

Octavianus.

Er ist ein Feldherr.

Calpurnia.

Und Alles was er will. Auch führt er Dir
Noch seinen Freund zu, Marcus Lepidus.

Octavianus.

Der Mann bedeutet nur nicht eben viel.

Calpurnia.

Der Mann bedeutet doch — fünf Legionen,
Caesarianer alle, die den Rücken
Des fliehenden Pompejus schon geseh'n.
Ihr Drei zusammen seid die Herrn der Welt.
Ja, stiftet ein Triumvirat. Ein neues
Triumvirat wie Crassus und Pompejus
Mit Caesar einst.

Octavianus.

Dem wäre nachzudenken.
Und findet sich nur die Gelegenheit —

Calpurnia.

Du mußt sie suchen, mußt Antonius
Und Lepidus so feindlich nicht verfolgen.

Octavianus.

Ei, wenn ich sie verfolge, liebe Mutter,
So folg' ich ihnen nach, komm' ihnen nah,
Wir können uns annähern, insgeheim
Verhandeln —

Calpurnia.

Ah, so recht, so recht mein Sohn!
Ich habe manche heimliche Verbindung,
Und Frauenhände spinnen seine Fäden.
Darf ich sie wissen lassen, daß Du Dich
Von Caesars Feinden bald zu trennen denkst?

Octavianus.

Ja, flüster' ihm, Antonius, in's Ohr,
Sag' ihm, ich folge jetzt dem Zwang der Zeit;
Doch selbst wenn meine Krieger auf die seinen
Einhau'n, und sollte selbst mein eignes Schwert
Auf seinem Panzer krachen, soll er glauben,
Ich bin sein Freund.

Calpurnia.

Du bist der Sohn des Caesar!

Octavianus (zu den Consuln).

Was meint Ihr? Können wir Antonius]
Und Lepidus einholen? Heute noch,
Eh' ihre Truppen sie zusammenzieh'n?

Erster Consul.

Es ist noch früh am Tag; wir können wohl,
Wenn wir dem Feind im Nacken sitzen, Mittags
Ihn schon erreichen.

Octavianus.

Aufgebrochen denn!

Zweiter Consul.

Doch etwas rasten müssen unsre Truppen.
Der Marsch war angestrengt und —

Octavianus.

Meinethalb!

Doch Eine Stunde nur.

Erster Consul.

Geht! Ruht Euch aus.
(Die Truppen ziehen ab.)

Octavianus.

So bitt' ich Euch, Ihr Consuln, Hirtius
Und Pansa, traget mich auf Euren Schwingen

Wie alte Vögel ihren Neſtling mit
Bei meinem erſten ungewiſſen Flug.

        Calpurnia (Octavianus heranwinkend).

Doch ließe ſich die Schlacht nicht ganz vermeiden?

             Octavianus.

Schwer würd' es halten, und es nützte nichts;
Mir nütz' es nichts.   Denn wenn ich mich mit ihm
Verbinden wollt' als ungeprüfter Jüngling —
Nie ſäh' er mich als Seinesgleichen an.
Doch nach dem erſten glücklichen Gefecht
Verſuch' ich's gern, und knüpfe mit ihm an.

             Calpurnia.

Ja, ſchließet Ihr drei Männer Euren Bund!
Wenn Ihr Triumvirn dann die Welt regiert,
So kann kein Mörder Eurem Arm entrinnen.

             Octavianus.

Was naht ſich da in feierlichem Zug?

             Calpurnia.

Es iſt der ganze römiſche Senat.
O eine Heuchlerzunft, Octavian!
Ihr Anſehn war es, das an Caeſar fiel,
Und wen nicht Eigennutz mit ihm verband,
Der war ſein Feind, ſo ſchmeichleriſch er that.
Mitſchuldig ſind ſie Alle!

             Octavianus.
             Alle?

             Calpurnia.

                Ja!

Hat nicht ihr Großmaul Cicero geſagt:
„Der Eine wußt' es nur nicht anzufangen,
Dem Andern fehlte die Gelegenheit,
Dem Muth vielleicht und Dem Entſchloſſenheit,

                       8

Um seine Hand in Caesars Blut zu tauchen:
Der Wille fehlte Keinem unter Euch."
Drum keine Gnade, Ihr Triumvirn!

(Leiser und ihm in's Ohr zischend, da der Zug nahe ist.)

       Rächt

Caesar am ganzen menschlichen Geschlecht!

(Der Senat ist herbeigekommen, Octavianus begrüßt ihn, umher sammelt
sich das Volk. Händeklatschen und Zuruf.)

Senat und Volk.

Octavianus, unserm Retter, Heil!

Sechster Auftritt.

Eine kleine Insel der Tiber in der Nähe von Rom.

Die Scene bleibt einen Augenblick leer, dann kommen aus dem Hinter=
grunde geradeaus, rechts und links gleichzeitig je ein Hauptmann mit
Soldaten und einem Tubabläser.

Erster Hauptmann.

Habt Ihr die ganze Insel abgesucht?

Zweiter Hauptmann.

Wir haben nichts gefunden.

Dritter Hauptmann.

     Und wir auch nicht.

Nicht eine Ziege auf der ganzen Insel,
Geschweige denn ein Mensch, der Waffen trägt!

Erster Hauptmann.

So gebt das abgesprochne Zeichen! Blas't!

(Die drei Tubabläser geben das Zeichen.)

Zum andren Mal! — Zum dritten Male! — So!
Jetzt können die drei Feldherrn unbesorgt
Auf diesem Inselchen zusammen kommen

Im Angesichte ihrer Heere. Seht,
Dort steh'n die Truppen des Antonius,
Dort die des Lepidus, und dort, in gleicher
Entfernung aufgestellt, des jungen Caesar.

Zweiter Hauptmann.

Sie treiben ihr Mißtrauen etwas weit.

Erster Hauptmann.

Je nun, zum Mißtrau'n haben sie wohl Grund;
Noch eben kämpften sie mit feindlichen
Schlachtreih'n als Gegner.

Dritter Hauptmann.

Dieser junge Caesar
Hat seines Oheims wunderbares Glück.

Zweiter Hauptmann.

Es war ein kurzes glückliches Gefecht.

Dritter Hauptmann.

Das nicht allein! Die beiden Consuln fielen,
Er blieb als Feldherr ganz allein zurück,
Und alle Krieger jauchzen froh ihm zu.

Zweiter Hauptmann.

Er wird sich um den römischen Senat
Nicht viel mehr kümmern. Ja, man sagt bei uns,
Er würde mit Antonius sich verbinden
Und Lepidus.

Erster Hauptmann.

Wir sind ja Veteranen
Des Caesar allesammt und, sollst Du seh'n,
Jetzt wird es gegen Caesars Mörder geh'n.

(Lepidus kommt, die Hauptleute gehen ihm entgegen und sprechen im
Hintergrunde mit ihm.)

8*

Lepidus (tritt vor).

Antonius traut nicht dem Octavian,
Octavianus nicht Antonius,
Doch schenken Beide ihrem Lepidus
Das völligste Vertrau'n.   Ich darf wohl sagen,
Daß ich die Seele dieses Bundes bin
Und so der erste Mann der Welt! — Willkommen!

Antonius (ankommend).

Ist Alles untersucht?

Octavianus.

Ist Alles sicher?

Lepidus.

So sicher, Freunde, wie mein eignes Herz.

Antonius (zu den Hauptleuten).

Geht, ziehet Euch zurück!

Octavianus.

Verlaßt die Insel!

(Hauptleute und Mannschaft ziehen ab.)

Es tobt nach Caesars Tod der römische Staat
Wie Polyphem, des Einen Aug's beraubt,
Und weiß nicht, wie er seinen Zorn befriedigt.
Drum hielt ich's als der Sieger an der Zeit
Vorschläge Euch zu machen.

Antonius.

Waren wir
Zu fernerm Widerstand auch ganz bereit,
So machtest Du uns solche ehrenvolle
Anträge —

Lepidus.

Zeigtest Dich bereit zum Aendern —

Antonius.

Daß wir zur Einigung gekommen sind.

Octavianus.

Bis auf den einen Punkt: die Aechtungen.

Lepidus.

Und dieser Punkt ist auch schon fast im Reinen;
Die ganze Liste hab' ich hier bereits
Zusammen aufgestellt.

Octavianus.

Wie Viele sind's?

Lepidus.

Dreihundert Senatoren, fünfzehnhundert,
Fast sechszehnhundert Ritter.

Antonius.

Etwas viel;
Doch da wir gegen Cassius und Brutus
Nach Osten zieh'n, so können wir uns nicht
Im Rücken ihre Spießgesellen lassen.

Octavianus.

Unmöglich! Nein!

Lepidus.

Und diese Proscriptionen
Gewähren uns die Mittel für den Krieg.
Der Grund genügt.

Antonius.

Was reden wir noch viel?
Wir steh'n nicht hier, uns zu vertheidigen.

Octavianus (die Liste einsehend).

Es handelt sich um wenig Namen noch.

Antonius.

Ich geh' nicht davon ab, daß Cicero,
Der alte Spötter, auf der Liste stehe.

Octavianus.

Er nahm sich meiner wie ein Vater an.

Antonius.

Ich muß darauf besteh'n —

Octavianus.

Ja, freilich mußt Du
Bestehen auf dem Kopf des Cicero,
Da Du ihn Deiner Fulvia versprachest.

Lepidus.

Wie er die Beiden auch verlästert hat!
Antonius, sagt' er, sei ein Trunkenbold,
Der eines Morgens nach durchschwärmter Nacht
Statt eines Richterspruches den Parteien
Ganz etwas Anderes zum Besten gab.

Octavianus.

Still, Lepidus! Wie würde mir es ansteh'n
Ihn aufzugeben, einen solchen Mann,
Auf daß des Redners Zunge Fulvia
Mit Nadeln ihres Haars durchstechen kann?

Lepidus.

Gieb nach! Ich habe mich bisher gesträubt;
Doch laß ich meinen eignen Bruder dann
Mit ächten.

Octavianus.

Lepidus, er liebt Dich nicht.
Ein Bruder, der nicht brüderlich gesinnt,
Ist wie ein Bogen ohne Sehne.

Antonius.

Nun,
Gieb Cicero nur Preis, er ist ja doch
Am Ende bloß ein Freund; dann will ich auch,
Wie hart auch meine Mutter schelten wird,
Nachgeben wegen meines Oheims Lucius.
Du mußt den Schwätzer opfern.

Octavianus (schweigt nachdenklich).

Lepidus (niederschreibend).

Cicero.

Die Liste ist geschlossen.

Antonius (auflachend).

Meiner Treu,
Ward je ein solcher Handel abgeschlossen?

Lepidus.

Ich will die Liste jetzt in Ordnung bringen,
Wollt Ihr noch lesen im Vertrage? Da!

(Er übergiebt ihnen ein Schriftstück, geht bei Seite und schreibt.)

Octavianus (behält die Rolle ungelesen in der Hand).

Antonius!

Antonius.

Was willst Du, junger Caesar?

Octavianus.

Wozu gebrauchen wir den Lepidus?

Antonius.

Ein art'ger Name und ein art'ger Mann.

Octavianus.

Antonius und Caesar ist genug;
Wozu gebrauchen wir den Lepidus?

Antonius.

Ei, wenn ich hier bin und Du dort, so muß
Doch Einer Botendienste thun.

Octavianus.

Ja, so!

Antonius.

Und wenn wir uns erzürnen, muß doch Einer
„Vertragt Euch, meine theuren Freunde!" rufen;
Wer thut es artiger, als Lepidus?

Octavianus.

Gewissermaßen haft Du freilich Recht;
Doch hätt' er nur noch irgend ein Gefühl
Von seiner flachen Unbedeutendheit!

Antonius.

Die gütige Natur gab allen Thoren
Die Selbstzufriedenheit zum Troste mit.
Was reden wir von Lepidus? Er ift
Ja nicht der Rede werth; er fällt von selbst
Beim nächsten Neumond ab, wie eine Warze.

Lepidus (zurückkehrend).

Hier ift die Lifte. Senatoren find's
Zweihundert dreiundneunzig —

Antonius.
                    Laß doch nur!
Ift Alles jetzt in Ordnung?

Octavianus.
                    Alles!

Lepidus.
                    Ja!

Antonius.

So ift denn dreigetheilt das Erdenrund.
Seit Jupiter und Pluto und Neptun
Die Welt verloosten, sah man Solches nicht.
Aufbrechen müssen jetzt wir mit dem Heer;
Denn Cassius und Brutus zieh'n geschäftig
In den Provinzen Asiens herum
Und werben Truppen an und sammeln Schätze.
Sie ziehen, heißt es, nach dem Hellespont
Und wollen ihre Heere dort vereinen.

Octavianus.

Ich kann Dir eine gute Nachricht bringen:
In Smyrna ward Trebonius getödtet.

Antonius.

Der Schändliche, der mich von Caefars Seite
Wegliftete, er hat es wohlverdient,
Daß die Vergeltung ihn zuerft erreicht.
Ich hoffe nicht, daß diefes Jahr herumgeht,
Eh' alle Mörder Caefars ihren Dolch
Gerichtet haben auf die eigne Bruft,
Wo nicht, durch unfer Schwert gefallen find.

Siebenter Auftritt.

Am Ufer des Hellespont.

Feldherrnzelt des Brutus.

Brutus. Caffius.

Caffius.

So hätten wir denn glücklich unfre Heere,
In Afien geworben, jetzt vereint,
Und drüben winkt, jenfeits des Hellespont,
Europens Küfte lockend uns bereits,
Die leider unfern Feinden jetzt gehört.

Brutus.

Europa war von Anbeginn ja eine
Thörichte Jungfrau, die von einem Stier
Sich hat berücken laffen.

Caffius.

      Scherzeft Du
In diefer schweren Zeit?

Brutus.

      Man muß das Leid
Nur bis zur Bruft anschwellen laffen, Freund,
Doch feinen Kopf hübsch über'm Waffer halten.

Cassius.

Sie zieh'n nach Macedonien herab,
In die Ebene Philippi's, ward gemeldet.
Sonst weiß ich nichts. Doch Vieles hört' ich noch
Von Rom und von den Aechtungen.

Brutus.

                    Ihr Götter,
Man schämt sich Mensch zu sein! Was hörtest Du?

Cassius.

Antonius donnerte auf off'nem Markt:
„Und wer nicht siegt, wird nicht am Leben bleiben!"

Brutus.

Für die Triumvirn ist das Erdenrund
Ein Circus nur, in dem zur Augenweide
Sie Menschen morden lassen, schonungslos.

Cassius.

Wär's noch aus Haß! Nein, schnöde Habsucht ist's.
Antonius hat alle Schätze Caesars
Verthan, des Goldes war ihm nicht so viel
Mehr übrig, als in's abgeschnitt'ne Haupt
Des Crassus einst zum Hohn die Parther gossen.
Sie morden nur, damit sie plündern können.
Und Cicero —

Brutus.

            So ist es dennoch wahr!
Ich wagte nicht den Namen auszusprechen!
Ich hoffte, daß Du nichts davon vernommen,
Und Alles Fabel sei.

Cassius.

            Nein, nur zu wahr.
Popilius Laenas war's, der ihn verfolgte.

Brutus.

Derselbe Mann, dem Cicero das Leben
Gerettet hat?

Cassius.

Derselbe Mann verfolgte,
Dem Jäger gleich mit losgelassenen
Fanghunden, jetzt die Spur des Cicero.

Brutus.

Sein Lebensretter!

Cassius.

Dessen Sclaven wollten
Ihn noch vertheidigen. Er wehrt' es ihnen,
Hieß sie die Sänfte niedersetzen und —
Mein armer Brutus! Sein beredter Mund
Blieb stumm; er warf nur einen scharfen Blick
Auf jenen Schurken, seinen Mörder, noch;
Dann streckt er aus der Sänfte still den Hals.

Brutus.

Sein greifes Ehrenhaupt! Mein Cicero!
Mein alter theurer Freund! So lebe wohl!

Cassius.

Mehr Würde zeigte Cicero im Sterben,
Als wie er oft im Leben uns bewies.

Brutus.

Er war ein liebevoller, edler Mensch,
Hing treu und warm an seinem Vaterlande,
Und alle seine Schwächen deckt das Grab.

Cassius.

Italien wird durchstreift von Mörderbanden,
Die ausgesetzten Preise zu verdienen.
Und eine neue Waare bringen jetzt
Zu Markt die Bauern: Säcke, angefüllt
Mit Menschenköpfen.

Brutus.

Welche Zeiten das!

Cassius.

Und die Erbitterung ist grenzenlos
In ganz Italien. Darum rath ich, Freund,
Da wir zudem zur See den Meister spielen,
Wir schiffen über nach Italien,
Das jetzt entblößt von allen Truppen ist.
Mit Jubel werden wir empfangen werden
Und ohne Schwertstreich zieh'n wir ein in Rom.
Du schweigst?

Brutus.

Ich überdenke Deinen Plan.
Ein jeder Plan hat etwas, das gefällt;
Allein man muß die Gegengründe prüfen.
Octavianus und Antonius
Steh'n jetzt in Griechenland mit großer Macht.

Cassius.

Ja, Eseltreiber, Winzer, Räuber, Diebe
Und allerhand Gesindel, wie sie es
In Hast zusammenrafften.

Brutus.

Um so mehr
Hat Griechenland von ihnen auszusteh'n.
Wir müssen Griechenland beschützen.

Cassius.

Nein!

Brutus.

Wir sind dazu verpflichtet —

Cassius.

Lieber Freund —

Brutus.

Wir haben diesen Schutz ja zugesagt.
Noch gestern schrieb ich Briefe nach Athen
Und gab mein Römerwort sie zu beschirmen.
Wie? Sollten wir die alte heil'ge Burg
Der Pallas —

Cassius.

Ach, das Philosophennest!

Brutus.

Ich bin ein Philosoph, ich läugn' es nicht —

Cassius.

Ja wohl, auch wo Du Feldherr solltest sein.

Brutus.

Die Künste haßt nur, wer sie nicht versteht.

Cassius.

Die Kunst, ein Heer zu führen, kenn' ich doch.

Brutus.

Ich werde sie von Dir nicht lernen müssen.
Zu diesen Gründen kommen andre noch,
Die, wer den Krieg kennt, nicht verwerfen kann.
Italien ist ausgesogen, Freund,
Und Griechenland noch eine volle Kammer.
Wir sollten sie den Feinden überlassen?
Jetzt sind sie ausgemergelt, doch sie würden
In Griechenland gar bald zu Kräften kommen.
Jedoch der erste Grund, der beste Grund,
Ist, daß wir unser Wort verpfändet haben.
Auf unser Schutzversprechen haben sich
Die Städte Griechenlands für uns erhoben.
Wie könnten wir der Rache der Triumvirn
Sie überlassen! Unsre Pflicht erheischt —

Caffius.

Der Feldherr hat nur Eine Pflicht: zu siegen!
Was Pflicht? Man muß die Augen offen haben
Und thun, was nöthig und was nützlich ist.

Brutus.

So nimm dies Schwert und stoß' es mir durch's Herz!
Dann bist Du Oberfeldherr ganz allein,
Dann kannst Du nach Italien zieh'n —

Caffius.

Genug!

Genug! Ich habe mich schon oft gefügt,
Ich füge mich auch jetzt, nicht Deinen Gründen,
Allein ich weiche der Nothwendigkeit.
Zwei können nicht zugleich regieren, Einer
Muß sich entschließen nachzugeben, sonst
Ist gleich die Zwietracht da, und sagst Du Zwietracht,
So sagst Du Unglück, gänzliches Verderben.
Mich wundert fast, daß Rom so lang bestand
Mit seinen beiden Consuln.

Brutus.

Also zieh'n
Wir jetzt nach Griechenland? Du giebst mir nach?
(Caffius bejaht, Brutus umarmt ihn.)
Ich muß aus tiefster Ueberzeugung handeln,
Sonst lasset mich davon. Ich kann nicht anders.
Entschuldige, daß ich zu heftig ward.

Caffius.

Sonst war es nicht Dein Fehler, Brutus.

Brutus.

Nein.

Allein die Proscriptionen und die Sorge
Um Porcia — Mein Gemüth ist nicht wie sonst.

Caſſius.

Haſt Du von Porcia gehört?

Brutus.

Ach nein!
Je fleißiger ſie ſchrieb, um deſto mehr
Beängſtigt mich das Fehlen ihrer Briefe.

Caſſius.

Du hörteſt über ſie nichts Schlimmes?

Brutus.

Nein.

Caſſius (bei Seite).

So mag er es durch Andere erfahren. (Laut.)
Nun laß uns Abſchied nehmen für die Nacht;
Die niedergehenden Plejaden laden
Zum Schlummer ein nach heißem Tagesmarſch.
Wir ſetzen morgen über'n Hellespont,
Wir geh'n den Weg des Xerxes; mögen wir
Nicht wie der Perſer in's Verderben zieh'n.
Nun, gute Nacht, mein Brutus!

(Drückt ihm die Hand, bei Seite.)

Armer Brutus!
Wer weiß, ich hätte ſonſt nicht nachgegeben. (Ab.)

Brutus (allein).

Ich will den Schlummer ſuchen; doch es wär'
Ein Wunder, wenn ich heut ihn finden könnte.

(Wortwechſel hinter der Scene.)

Straton (draußen).

Ich muß zum Feldherrn.

Schildwache (draußen).

Nicht erlaubt. Es iſt
Dafür zu ſpät.

Straton.

Ich komme ja von Rom.

Brutus (die Thür des Zeltes öffnend, so daß man den im Mondlicht rollenden Hellespont erblickt).

Von Rom? Wer ist der Mann? Laßt ihn herein!
Wer bist Du, Alter?

Straton.
Herr, Dein Sclave.

Brutus.
Meiner?

Straton.
Oft hab' ich Dir beim Mahle eingeschenkt;
Allein ich war ja Einer nur von Vielen,
Und Du erinnerst Dich nicht meiner mehr.

Brutus.
Doch! Jetzt besinn' ich mich auf Dein Gesicht.
Du bist ein treuer Diener.

Straton.
Also hat schon
Vor Zeiten Dein Großvater mich genannt.

Brutus.
Ich Undankbarer, daß ich Deinen Namen
Vergessen habe!

Straton.
Straton.

Brutus.
Richtig! Straton!
Was bringst Du mir von Rom? Was macht mein
Weib?
Wie geht es Porcia?

Straton.
Herr, sie ist — krank.

Brutus.
Krank, sagst Du? Krank! Mein armes Weib ist krank?

Straton.

Sie konnte Eure Trennung nicht ertragen.

Brutus.

Ja, meine Porcia kann Schmerz ertragen,
Nicht Gram und Leid, die Trennung nicht von mir,
Und also schrieb sie: „Bist Du fern von mir,
Bin ich ein Tempel ohne Götterbild."
Sie ist doch, hoff' ich, auf der Besserung?
Was blickst Du mich so voller Mitleid an
Und weinst und zitterst? Sprich, ist Porcia — todt?

(Straton fällt ihm schweigend zu Füßen.)

O sie war meines Lebens beff'rer Theil;
Was bleib' ich noch, der schlechtere, zurück?
Sie starb! Wie starb mein unglückfel'ges Weib?

Straton.

Sie starb — Wir konnten's, Herr, nicht hindern —

Brutus.

Nun?

Straton.

Die Aechtungen — Der Feinde Uebermuth —
Als sie sich der Verzweiflung überließ,
Bewachten wir sie sorgsam, Nacht und Tag.
Und als sie gar kein ander Mittel fand,
Ergriff sie Feuer, glüh'nde Kohlen, schlang sie
Hinab und —

Brutus.

Diese armen Tropfen können
Die Gluth nicht löschen oder lindern mehr!
Doch warum ist die Todesbotschaft mir
Nicht gleich von Dir berichtet worden? Sprich!

Straton.

O Herr, wir Sclaven müssen immer zittern!

9

Ich fürchtete ein schlimmes Botenbrod,
Weil wir den Tod der Herrin nicht verhindert.
In jener Nacht, wo Porcias Vater starb,
Der große, gute Cato, rief er mir
Und forderte mit Ungestüm sein Schwert,
Das sorglich ihm sein Sohn entzogen hatte.
Ich ging zum jungen Cato, doch er wollte
Mir seines Vaters Schwert nicht wiedergeben.
Und als ich das berichtete, da ballte
Der große edle Cato seine Faust
Und schlug im Zorn sie mir in's Angesicht,
Daß mir das Blut stromweis herunterlief.
Die Güte und die Großmuth unsrer Herrn
Erstreckt sich leider auf uns Sclaven nicht.

Brutus.

Man kann von einem Sclaven lernen. Geh!
Von Stund' an bist Du frei um Porcia's willen.
Du sollst ihr Angedenken segnen, sollst
Zu ihr wie einer Göttin dankend beten.

(Straton fällt auf die Kniee und küßt ihm die Hand.)

Nun bitte Dir noch eine Gnade aus.

Straton.

Daß ich bei Dir, Herr, weiter dienen darf.

Brutus.

Das sei Dir gern gewährt. Geh, ruh' Dich aus.
Geh in das Vorgemach, wo Titus ist,
Und lasse Dich bewirthen oder schlafe,
Was nun am meisten Du begehren magst.

(Straton ab.)

Brutus (allein, sitzt brütend da).

Wer ward von schwerer'n Sorgen je gedrückt?
Gewohnheit ist die andere Natur;

Um einzuschlafen muß ich immer noch
Ein wenig lesen, sei es noch so spät
Und meine Seele noch so aufgeregt.
Wo blieb ich steh'n? (Er liest.) Sehr wahr, Polybius!
Kein Römer hat den Römerstaat so sehr
Bewundert, als der Grieche. Doch wo blieb
Der stolze Bau? Er ging aus allen Fugen.

(Er versucht noch einmal zu lesen, ohne daß es ihm gelingen will.)

Ich kann zum ersten Male heut nicht lesen.

(Er sitzt mit gesenktem Haupte da. Plötzlich auffahrend.)

Die Lampe hier ist dem Erlöschen nah
Und wirft ja einen wunderbaren Schatten.
O Himmel! Sieh, was wächst vor mir empor?
Wer bist Du, große, drohende Gestalt?
In welcher Absicht kommst Du her zu mir?
Antworte mir!

Geist.

Ich bin Dein böser Geist,
Und bei Philippi sehen wir uns wieder.

Brutus.

Ich werde Dich erwarten. Jetzt, Gespenst,

(Er zieht das Schwert.)

Laß sehen, ob Du Blut und Leben hast!

(Er bringt auf den Geist ein, der verschwindet.)

Mir kriecht ein jedes Haar auf meinem Haupt!
Was war das? Bin ich meiner Sinne Meister? —

(In's Vorzimmer rufend.)

He, Straton, Titus! (Die Diener erscheinen.)

Titus.

Was befiehlst Du?

Brutus.

Sagt,

Wer trat zu mir in's Zelt ein?

Straton.

Niemand, Herr.

Brutus.

Du wirst geschlafen haben, seh' ich wohl.
Und hast Du auch geschlafen?

Titus.

Nein!

Brutus.

Wer war das,
Der eben durch's Vorzimmer kam und ging?

Titus.

Wen meinst Du, Herr? Ich habe nichts geseh'n.

Brutus.

Und hörtest kein Geräusch?

Titus.

Ich hörte nichts.

Brutus.

So warst Du doch wohl eingenickt?

Titus.

O, nein,
Mein theurer Herr! Ich hätte gern geschlummert,
Allein ich konnt' es nicht.

Brutus.

Warum denn nicht?

Titus.

Ich mußt' an meine arme Mutter denken.
Mein Vater starb im Krieg und hinterließ
Sechs unversorgte Kinder. Ich allein
Ernähre mich, und meine Mutter weiß
Nicht, wie sie Brod den Kindern schaffen soll;
Sie müssen schon gekochte Nesseln essen!
Daran gedenkend floh mich aller Schlaf.

Brutus.

Da nimm! Ich werde für Euch sorgen. Geht.

(Diener ab.)

Ich sehe wohl, es giebt noch andre Sorgen.
Als Sclave sich mißhandeln laffen, ist
Das Loos auch manches freigebornen Mann's,
Und Sorge um das Brod, das tägliche,
Scheint reichen Leuten die geringste zwar,
Allein wer weiß, ob sie nicht schwerer drückt,
Als alle Sorgen, die wir sonst uns machen?
Doch lebe wohl, Philosophie! Ich bin
Ganz Römer jetzt und Feldherr, weiter nichts.
Triumvirn, die Vergeltung kommt für Euch!
Dreiköpfiges Ungethüm, wir packen Dich,
Und wir bezwingen Dich wie Hercules!
Wir nah'n Euch, blutige Triumvirn, schon,
Wir rauschen gleich dem Strymon bald herab
Durch Thracien und Macedonien,
Und bei Philippi sehen wir uns wieder!

Fünfter Aufzug.

Erster Auftritt.

Ebene von Philippi.

Brutus und **Cassius** begegnen sich vor ihrem im Hintergrunde
aufgestellten Heere.

Brutus.

Mein Bruder, sei gegrüßt!

Cassius.

Mein theurer Brutus!

Brutus.

Der rothe Mantel hängt bereits heraus
Zum Zeichen für die Schlacht. Wie bin ich froh!

Cassius.

Trotz Deines bösen Geistes?

Brutus.

Ei, ja wohl!

Cassius.

Und hat es Wort gehalten, Dein Gespenst?
Ist hier es wieder Dir erschienen?

Brutus.

Ja;

Doch diesmal wußt' es mir kein Wort zu sagen.
Es ist ein dummer Geist. Ich kehre mich
An alle Geister und Gespenster nicht.

Caſſius.

Ich wollte doch, es wäre ausgeblieben.
Man redet auch von ſchlimmen Zeichen.

Brutus.

Still!

Du glaubſt zu wenig, und Du glaubſt zu viel.

Caſſius.

Es blitzt und donnert mächtig.

Brutus.

Jupiter,

Der Gott des Capitoles, freut ſich auch;
Er heißt der Rächer, und wir werden bald
Die Menſchlichkeit an den Triumvirn rächen.
Du neigſt Dich zu den Lehren Epicurs
Und meinſt, daß um der Menſchen Thun und Treiben
Die Götter ſich nicht viel bekümmerten.
Heut aber, glaub' ich, ſchaun ſie doch herab
Hier auf Philippi's weites Schlachtgefild,
Neugierig auf das Schickſal einer Welt,
Die, wie es geh'n mag, einen Herrn erhält.
So lange Rom ſteht, wurde wohl noch nie
Ein ſo gewalt'ges Heer in's Feld geführt;
Doch leider in zwei Lager eingetheilt.

Caſſius.

Und unſer Lager iſt das ſchwächere.

Brutus.

Ein wenig ſchwächer ſind wir wohl an Zahl,
Doch unſre Krieger tapfer und erprobt.
Wir ſind in Allem beſſer ausgerüſtet
Und haben auch die beſſ're Sache.

Caſſius.

Wahr;

Doch ſind ſie uns an Zahl ſehr überlegen.

Brutus.

Warbst Du ein Jünger des Pythagoras,
So viel zu geben auf die bloße Zahl?

Cassius.

Die Zahl vermag im Kriege viel, das Meiste.
Auch fechten sie mit Eisen nicht allein;
Sie streuten Gold aus unter unsre Truppen.

Brutus.

Gold ist das Gift, an welchem Rom verdarb!

Cassius.

Man hinterbrachte mir verdächtige
Anzeichen.

Brutus.

　　　　Bei den Unsrigen? Nein, nein!
Sie wissen, daß es Rom und Freiheit gilt.

Cassius.

Du kennst den Hauptmann Camulatus?

Brutus.

　　　　　　　　　　　Ja.
Er ist ein tapfrer Mann, ich kenn' ihn wohl
Und gab ihm selber eine Mauerkrone.

Cassius.

Er ging zum Feinde über.

Brutus.

　　　　　　　Ist es wahr?

Cassius.

Im Angesicht des ganzen Heeres.

Brutus.

　　　　　　　　　Pfui!
Man sieht, als Handwerk trieb er nur den Krieg.
Denn drüben, da verspricht man goldne Berge.
Sie wollen ganz Italien vertheilen.

Dergleichen Mittel müſſen wir verſchmäh'n.
Gieb nicht ſo viel auf Einen ſchlechten Mann;
Auch Labienus fiel von Caeſar ab!
Nun brach der große Freiheitsmorgen an;
Denn wenn wir ſiegen, wird die Welt befreit
Von den Tyrannen; werden wir beſiegt,
Zerbrechen w i r doch unſre Sclavenfeſſeln.
Darum, mein Caſſius, blicke nicht ſo ernſt.

Caſſius.

Du ſtehſt in Deiner Kraft, indeß auf mir
Schon meine Jahre und Strapazen laſten.
Das lange Unglück, fühl' ich, hat mir auch
Etwas von jener Freudigkeit geraubt,
Die unſrer beſten Thaten Mutter iſt.   (Cato kommt.)

Brutus.

Sieh hier den jungen Cato, wie er ſtrahlt!

Cato.

Heut meß' ich mich ja mit Octavian;
Wir tummelten uns eben noch als Knaben
Zu Rom im juliſchen Spiel; ich war ein Grieche
Und er ein Troer aus Aeneas Blut.
Er prahlte auf dem ſchön geſchmückten Roß,
Da, wo er nichts als Staub zu fürchten hatte;
Jetzt wird ſich's zeigen, was ſein Prahlen werth.
Dir, Caſſius, gegenüber rücken ſchon
Octavianus Truppen langſam an.

Brutus.

Auf! Kommen wir dem Feinde raſch zuvor.
Wir wollen ſelbſt angreifen; denn der Lauffchritt,
Der Hörnerſchall, das Schlachtgeſchrei verleiht
Den Kriegern Schwung ſo wie dem Blei die Schleuder.

Caffius.

Wer auf den Angriff wartend stille steht,
Verlieret leicht die Luſt und auch den Muth.
Blaſ't, blaſ't zum Aufmarſch!

(Die kriegeriſchen Inſtrumente erſchallen.)

Brutus.

Wenn man in der Bruſt
Drei Seelen hätte, jede müßte jetzt
Zum Kampf hinſtreben mit den ſchändlichen
Triumvirn. Vorwärts!

Caffius.

Gebe Gott, mein Freund,
Daß wir noch lange mit einander leben;
Doch wenn es anders heut beſchloſſen iſt,
Und da wir uns vielleicht nicht wiederſeh'n —
Wie denkſt Du über Flucht und Tod?

Brutus.

O Caſſius,
In jüngern Jahren, wo ich unbekannt
Noch mit dem Lauf der ird'ſchen Dinge war,
Da ſagt' ich mit dem Plato, daß der Menſch
Niemals von ſeinem Poſten weichen dürfe.
Ich tadelte noch Cato, daß er nicht
Den Muth in ſich gefunden fort zu leben.
Jetzt aber bin ich andern Sinn's geworden,
Ich weiß nicht, ob ich beſſern ſagen darf.
Genug, ich werde Rom nicht überleben.
Ich bin zufrieden mit dem Glücke, daß ich
An des Märzes Iden, was ich bin und habe,
Gewagt hab' an mein theures Vaterland
Und ſo ein andres Leben, frei und ruhmvoll,
Seitdem genoſſen habe.

Cassius (ihn umarmend).

Theurer Freund,

Laß uns getrost dem Feind entgegen geh'n;
Denn da wir so gesinnt sind, werden wir
Entweder siegen oder werden doch
Uns vor dem Sieger nicht zu fürchten brauchen.
Hast Du noch einen Wunsch, mein Brutus? Sieh,
Ich thäte gern noch etwas, das Dich freut.

Brutus.

Ja! Ueberlasse mir den rechten Flügel.
Dort steht Octavian mir gegenüber,
Der Knabe, welcher jetzt sich Caesar nennt,
Und meinen Cicero geopfert hat.
Mein Cato brennt drauf, sich mit ihm zu messen.

(Cassius schweigt.)

Du bist der ält're Feldherr, weiß ich wohl,
Du hast das Anrecht auf den rechten Flügel;
Doch überlasse mir ihn! Willst Du? Ja?

Cassius.

Octavianus führt die stärkre Macht
Und steht auf Höh'n, die schwer zu stürmen sind.
Du glaubst, Du sei'st mit Deiner Jugendkraft
Dem schwerern Theil des Tages heut gewachsen,
Und darum forderst Du den rechten Flügel.
Nimm ihn, und gebe Zeus Dir heute Ruhm
Wie Diomedes vor den Troerschaaren!
Ehrgeizig bin ich, weißt Du; aber nimm ihn!
Ich wünsche, daß Du freundlich scheiden sollst
Von Deinem alten finstern Cassius.

Brutus.

Zum Abschied schenke mir ein froh Gesicht.

Caſſius.

Ich weiß nicht, was auf meiner Seele laſtet.
Heut feier' ich Geburtstag, und es kehrt
Zum Anfang wohl das Ende heut zurück.
Hab' ich Dich je in meinem trüben Muth
Verletzt, mein Brutus, ſo verzeihe mir.

Brutus.

Du haſt mich nie gekränkt, mein Caſſius,
Ich weiß nichts mehr davon.

Caſſius.

          Nun gieb das Zeichen
Zur Schlacht.

Brutus.

      Nein, Du!

Caſſius.

         Ihr Legionen, auf!
Erhebt das Feldgeſchrei: „Das freie Rom!"

Das Heer.

Das freie Rom! Sieg oder Tod! Sieg! Sieg!

Brutus.

Des Sieges Zuverſicht iſt halber Sieg.

(Während Brutus und Caſſius ſchweigend Abſchied nehmen, fährt ein
heftiger Blitzſtrahl nieder.)

Caſſius.

Wie blitzt es wieder!

Brutus.

      Sagt' ich Dir es nicht?
Es blickt auf uns der donnerfrohe Zeus
Mit allen Göttern und Göttinnen heut.

(Ein ſtarker Donnerſchlag; Brutus geht raſch davon. Caſſius ſieht ihm
bewegt nach.)

Caſſius.

Meſſalla!

Messalla.

Hier, mein Feldherr! Dein Begehr?

Cassius.

Die Legion, die Du befehligst, gilt
Für unsre tapferste.

Messalla.

Wir werden uns
Der Ehre würdig zeigen, Imperator,
Und heute unter Deinen Augen fechten.

Cassius.

Beim linken Flügel? Nein, Messalla! Führe
Zum rechten Flügel Deine Legion.
Verstärke Brutus. Ich will ohne Dich
Antonius die Spitze bieten. Geh!
Ich will schon mit dem Schlemmer fertig werden.

(Messalla ab.)

Der letzte Liebesdienst für meinen Freund!

Zweiter Auftritt.

Eine Gegend auf dem Schlachtfelde mit einem Hügel.

Octavianus auf der Flucht mit Hauptleuten und Soldaten.

Hauptleute.

Auf, auf und flieht!

Octavianus.

Flieh'n, wenn man Caesar heißt?
Hier will ich ausruh'n. (Setzt sich auf den Hügel.)

Hauptleute.

Nein, unmöglich, Herr!
Der Feinde Fluth dringt unaufhaltsam vor
Und überschwemmt auch diesen Hügel bald.

Octavianus.

Geht! Ueberlaßt mich meinem Schicksal!

Hauptleute.

Komm!

Octavianus.

Der ganze linke Flügel ist geschlagen.
Des Brutus Truppen rücken siegend vor.
Sie plündern selbst mein Lager. Seht doch nur!

Erster Hauptmann.

Du bist noch jung, Du hast noch nicht erfahren
Die Wechselfälle, die man Kriegsglück nennt.
Der große Julius ging oft zurück.
Er floh in einem Nachen, ja, er sprang
In's Wasser, um durch Schwimmen zu entkommen:
Zur rechten Zeit zu flüchten, ist ein Lob.

Zweiter Hauptmann.

Wir kehren bald zurück und siegen noch.

Octavianus.

Nein, dieser Tag ist, fürcht' ich, ganz verloren.

Dritter Hauptmann (der vom Hügel aus die Schlacht betrachtet).

Wer Caesar heißt, verzage nicht am Glück!
Wir wurden auf dem linken Flügel zwar
Geworfen von des Brutus Truppen, Herr;
Doch auf dem rechten Flügel rücken, seht,
Die Schaaren des Antonius siegend vor.

Octavianus.

Ist Cassius geschlagen worden?

Dritter Hauptmann.

Ja!

(Alle Hauptleute steigen auf den Hügel.)

Octavianus.

Der alte Parthersieger? Nun, wohlan,
(Erhebt sich.)

Mit dem Gefährten darf ich mich nicht schämen
Zurückzuweichen. (Auf das Schlachtfeld blickend.)

Ja, Antonius siegt.
Und Cassius Truppen geh'n nicht mehr zurück,
Sie laufen schon und sie zerstreuen sich.
Hört doch den Jubelruf der Unsern! Hört!

Erster Hauptmann.

Antonius bemerkte unsre Noth
Und schickt uns seine Reiterei zu Hülfe.

Octavianus.

Sie sollen uns aufnehmen. Freunde, kommt!
Dem Himmel Dank, wir können seitwärts geh'n,
Wir brauchen unsern Rücken nicht zu zeigen;
Denn träfe mich von hinten ein Geschoß,
Wie würde Caesars Name untergeh'n?

(Octavianus mit seinen Truppen ab; von der andern Seite erscheinen die
siegreich vorrückenden Truppen des Brutus.)

Cato (begeistert).

Ich bin der Sohn des Marcus Porcius Cato!
Hört ihr's, Tyrannenknechte? Cato! Cato!
Sobald er diesen Namen hörte, schlug
Der große Caesar seine Augen nieder,
Der kleine läuft davon. Caesarion, steh!

(Dringt weiter vor. Brutus mit Gefolge. Fanfaren.)

Brutus.

Verfolgt ihn, der sich Sohn des Caesar nennt,
Doch seinem großen Oheim minder gleicht,
Als edlen Löwen grimmige Hyänen,
Die sich an Leichen weiden. Immerzu!
Vorwärts! Verfolgt sie mit dem letzten Hauch
Von Roß und Mann! — Wo ist denn Cassius?

(Es werden Trophäen eingebracht.)

Wie viele Adler sind erobert?

Soldaten.

Drei.

Brutus.

Hier auf dem Hügel pflanzt die Adler auf,
Daß sie den Unsrigen als Siegeszeichen
Von ferne leuchten.

Soldaten (während die drei Adler auf dem Hügel aufgepflanzt werden).

Sieg! Heil, Brutus! Sieg!
Heil unsrem großen Imperator! Sieg!

Hauptmann.

Du bist verwundet?

Brutus.

Eine Schramme. Nichts!

Hauptmann.

Es blutet stark. Du mußt verbunden werden.
Wo sind die Aerzte?

Brutus.

Um die Kleinigkeit!

Arzt.

Du kannst nicht, Imperator, weiter geh'n;
Du würdest Dich verbluten.

Brutus.

Wie Ihr wollt.

(Er läßt sich den rechten Arm verbinden.)

Wie mag es auf dem linken Flügel steh'n?
Sagt, wo ist Cassius? Ich fragte schon.
In der weiten Ebne seh' ich nichts als Staub,
Ich sehe nicht sein hohes Feldherrnzelt.

Ein Hauptmann.

Er hat die Zelte abgebrochen, Herr;
Der linke Flügel ist zurückgegangen
Und wird von dem Antonius verfolgt,
Indessen wir Octavian besiegten.

Brutus.

Ein halbes Glück? Nichts gebt ihr, Götter, ganz!
Links abgeschwenkt die zehnte Legion!
Die halbe Reiterei zum linken Flügel!
Die Bogenschützen, Schleudrer — Alle links!
Ich wollte, daß wir Flügel nehmen könnten
Zu Hülfe unserm Bruder Cassius!
Er wird den Rückzug nicht zur Niederlage
Ausarten lassen, und nur Schritt vor Schritt —
Der alte tapfre Krieger wird schon wissen,
Wie man den Rückzug deckt. Und wenn wir ihm
Zu Hülfe zieh'n mit unsren siegesstolzen
Cohorten — Hätten wir nur sichre Nachricht
Vom linken Flügel —

        Hauptmann.

        Ah, da kommt ein Bote
Von Cassius, sein Freigelassener,
Titinius.

        Brutus.

      Gottlob! Titinius,
Wir kommen Euch zu Hülfe, sei getrost!

        Titinius.

Wir sind geschlagen worden.

        Brutus.

        Sage lieber,
Ihr seid zurückgeworfen, seid verdrängt.
Der Würfel rollt; bald zeigt er eine Seite
Und bald die andre, eh' er wirklich fällt.
Des Feindes Hauptmacht ist in voller Flucht.
Laß uns nur Zeit, wir stellen bald das Glück
Auch auf dem linken Flügel wieder her,
Und schön vollenden wird sich unser Sieg.

10

Du schweigst, Titinius? Nein, fasse Muth.
Mir thut's nur leid um unsern Cassius.
Auf ihn, der Wolken sieht am heitern Himmel,
Wie wird auf ihn die Niederlage wirken?
Er krankt an Schwermuth und wird kränker werden;
Geh' rasch zurück und bring' ihm Arzenei.

Titinius.

Es kommt zu spät! Auf diesem weiten Schlachtfeld,
In der Entfernung konnte Cassius,
Der sich umsonst der Flucht der Seinigen
Entgegenwarf, von Eurem Siege nichts
Erkennen, und so glaubt' er schon verloren
Die Schlacht, das ganze Heer. Er sagte nur:
„Ich glaubte einst, daß Tugend etwas sei;
Jetzt seh' ich, daß sie nichts auf Erden gilt,
Nichts bei den Göttern, wenn es Götter giebt."
Und so in traurigster Verzweifelung
Nahm er das Schwert und tödtete sich selbst.

Brutus (nach langem Schweigen).

Das war der letzte Römer! Cassius,
O warum hast Du das uns angethan!

Hauptmann.

Herr, Herr, die Schaaren des Antonius
Vereinen sich mit denen Octavians.
Die Ueberzahl der Feinde wird zu stark.

Brutus.

In meinen Ohren tönet noch die Stimme
Des Cassius, wahrsagend war sein Geist.

Zweiter Hauptmann.

O eine Trauerbotschaft, Imperator!
Der junge Cato fiel. Auf einen Haufen
Erlegter Feinde ward er hingestreckt.

Brutus.

Tod ist die Losung heut für alle Edlen,
Zu leben ist gemein! Und wie sie flieh'n,
Der feige Ueberrest, die Hefe Roms!
Achäerinnen, nicht Achäer mehr!

Soldaten.

Flieht, werft den Schild weg! Alles ist verloren!

Brutus.

Daß mir der Arm schmerzt und den Dienst versagt!
Sonst stieß ich ein Paar flieh'nde Memmen nieder;
Doch für mich selbst reicht wohl die Kraft noch aus.
Mein Cassius, wir halten Beide Wort!

Zweiter Hauptmann.

Herr, das vereinte Heer der Feinde findet
Schon keinen Widerstand mehr. Alles hin!
Verloren ist das Ganze, und es kann
Nur noch der Einzelne sein Leben retten.

Brutus.

Man rettet nur, was einen Werth hat.

Hauptmann.

Kommt!
Wir müssen flieh'n von hier.

Brutus.

Ja, mit den Händen,
Nicht mit den Füßen werd' ich flieh'n von hier.

Dritter Hauptmann.

Flieh, theurer Brutus, flieh und rette Dich!

Brutus.

Wohin? Wohin? Dort, wo die Knechtschaft aufhört,
Beginnt die Barbarei. Du arme Erde!

Titus (ein Pferd vorführend).

Der schnellste Renner aus Arabien!
Besteig' ihn, Brutus! Rette Dich!

Brutus.

Nein, nein!
Mir ziemt es nicht, doch rette Dich. Auf's Pferd!
Es findet sich wohl irgend noch ein Ort,
Wo Du versteckt und glücklich leben kannst.

Titus.

Auch Du!

Brutus.

O, nein! Mich kennt die weite Welt.
Ich bitte Dich! Fort, fort!

Titus.

So lebe wohl!

(Er führt das Pferd an den Ausgang und schwingt sich darauf; Alles ist
geflohen bis auf den alten Straton.)

Straton.

Du rühmtest Deinen neuen Diener sehr;
Jetzt hat er Dich verlassen.

Brutus.

Weil ich ihm
Gerathen hatte sich zu retten.

Straton.

Ja.
Ich aber, Deines Hauses alter Knecht,
Ich würde nicht davon geritten sein.
Die angeborne Treue wanket nicht.
Ich weiche nicht von Dir, so lang Du lebst.

Brutus.

Dann halt' ich, Guter, Dich nicht lang mehr auf.
Nimm, Straton, dieses Schwert und töbte mich.

Straton.

Nein, nein, das könnt' ich nicht, mein theurer Herr!

Brutus.

Du nennst mich theuer; doch was hätt' ich Gutes
Dir denn gethan, daß ich Dir theuer bin?
Ich hatte Deinen Namen selbst vergessen,
So wenig hab' ich mich um Dich gekümmert.
Ich merke wohl, daß Du ein Schmeichler bist.

Straton.

Nein, Herr, ich liebe Dich von Herzensgrund.
Die Götter wissen, daß ich Wahrheit rede,
Und wenn ich Dich bediente, wie mir's gut that,
Dir in das edle Angesicht zu schau'n!
Und warum blieb ich denn bei Dir zurück?

Brutus.

So willst Du thun, was ich Dir sage, Straton?

Straton.

Sieh, wie die alte Hand mir zittert, Herr!
Wollt' ich das Schwert Dir stoßen in die Brust,
Vermöcht' ich's nicht. Befiehl mir Alles sonst.

Brutus.

Hier unter diesen Adlern bett' ich mich! —
Die Wunde hindert mich, Du mußt mir helfen.
Nimm hier das Schwert, und halt' es auf die Erde
Und stemm' es fest mit beiden Händen an.

(Straton hält das Schwert. Brutus stürzt sich in sein Schwert.)

So recht, mein Straton! Dank! Du hast mir jetzt
Den letzten Dienst geleistet und bist frei,
So frei man jetzt noch sein kann auf der Erde!

Straton.

Da kommen die Triumvirn. Armer Herr!

Vierter Auftritt.

Die Triumvirn mit ihren siegreichen Truppen, die im Hintergrunde bleiben.

Lepidus.

Was seh' ich? Ist das Brutus? Ja, er ist's!

Antonius.

Er starb wie Cassius den Römertod.

Octavianus.

Noch lebt er. Ja! Er schlägt die Augen auf.
Einst hast Du über Caesar triumphirt,
Jetzt mußt Du Caesar triumphiren seh'n.

Brutus.

Wer für die Freiheit seines Vaterland's
Unglücklich kämpft, trägt einen schönern Kranz,
Als sieggekrönt ein glücklicher Tyrann.　　(Er stirbt.)

Antonius.

Die Andern Alle haben Caesar nur
Aus Neid und Haß ermordet; er allein
Aus warmem Eifer für's gemeine Wohl.

Octavianus.

Aus mißverstandnem Eifer!

Antonius.

　　　　　　Nun, gewiß!
Es war von allen Mißverständnissen
Der Mord des Caesar wohl das traurigste,
Und strenge wird ihn die Geschichte richten.
Doch hielt von Bosheit und von schnöder Selbstsucht
Der Gute da stets seine Seele rein,
Rein, wie der Perser seine Flüsse hält,
Worin er nicht einmal die Hände wäscht:
Sie rauschen himmlisch klar von Berg zu Thal.

Octavianus (zu den Soldaten).

Als Fraß für Vögel darf er hier nicht liegen;
Scharrt ihn im Stillen ein.

Antonius.

Was sagst Du? Ha!
Einscharren Marcus Brutus wie 'nen Hund,
Der mir das Leben einst gerettet hat?
Ich ließ mich niemals lumpen, Gott sei Dank!
Ich durfte Caesar stattlich einst begraben,
Und Brutus war es, der es mir erlaubte —
Der arme Schelm! Er stand sich schlecht dabei —
Er' soll nun würdig auch bestattet werden .
Mit allen Ehren eines Imperators —

Octavianus (den Kopf schüttelnd).

Antonius —

Antonius.

Mache mich nicht grimmig, Freundchen!
Drei Adler nahm der Mann Dir heute ab,
Und Du zum Danke — Junge, schäme Dich!
Ich spaße gern, das wißt Ihr Alle, aber
Sobald mir etwas über'n Spaß geht — ha!
Ich sage Dir, er soll bestattet werden
Wie Julius Caesar selbst. Ich schwör' es Euch!
Ich bin der Sieger von Philippi! Ich!
Wenn Brutus auch den Königstitel haßte,
Doch hatt' er stets ein königliches Herz.
Hier dies Gewand hat mir Phönicien
Zur Ehrengabe dargebracht, getränkt
Mit des Mittelmeeres feinsten Purpurschnecken;
Es ist der Erde königlichstes Kleid,

(Er nimmt seinen Mantel von der Schulter.)

Allein zu schade nicht für Marcus Brutus!

(Er breitet seinen Mantel über Brutus.)

Doch nun genug des Ernstes, meine Freunde,
Nun kommt das Beste vom Triumph, das Fest;
Wir wollen schmausen, saliarisch schmausen!
Und wie man vom Begräbniß munter heimkehrt
Mit frohen Weisen, spielt uns lustig auf.

(Alle ab unter den Klängen eines frischen Marsches.)

Druck von Fischer & Wittig in Leipzig.